国家出版基金项目
NATIONAL PUBLICATION FOUNDATION

《三联经典文库》

第二辑

2012 年国家出版基金项目

三联经典文库

186

亡友鲁迅印象记

许寿裳 著

生活·讀書·新知 三联书店

图书在版编目(CIP)数据

亡友鲁迅印象记 / 许寿裳著. -- 北京 : 生活·读书·新知三联书店, 2014.1
(三联经典文库第二辑)
ISBN 978-7-108-04460-0

Ⅰ. ①亡… Ⅱ. ①许… Ⅲ. ①鲁迅（1881～1936）－生平事迹 Ⅳ. ①K825.6

中国版本图书馆CIP数据核字(2013)第050937号

186 亡友鲁迅印象记

责任编辑 曹明明
封扉设计 蔡立国
责任印制 宋 家
出版发行 生活·讀書·新知 三联书店
(北京市东城区美术馆东街22号)
邮 编 100010
经 销 新华书店
印 刷 北京鹏润伟业印刷有限公司
版 次 2014年1月北京第1版 2014年1月北京第1次印刷
开 本 787毫米×1092毫米 1/32 印张 5.75
字 数 77千字
定 价 21.00元

《三联经典文库》出版缘起

适逢生活·读书·新知三联书店八十华诞，为弘扬传统，接续文脉，回报读者，服务社会，我们决定策划出版《三联经典文库》。

1932 年 7 月，生活书店在上海创办，此后，读书出版社和新知书店相继成立。本文库第一辑、第二辑所选图书，来自于这三家出版单位及其分支机构，以及 1948 年生活·读书·新知三联书店成立后的出版物，始于 1932 年，截至 1951 年，两辑各一百种。此为第二辑，涉及政治、经济、社会、军事、思想文化诸领域，涵盖专著、文集、散文、小说、诗歌、传记、报道等体裁，既有直面现实、追求真理、讴歌真善美、抨击假恶丑的原创作品，又有引介世界各国先进文化、传播新知、开启民智的逡译之作，真实记录了那一代知识分子的思考与探索、理想与愿景和对中华民族文化传承与创新所做出的努力与贡献。

本文库所辑入各书，多为名家名作，在版本方面，以初版一印本或经著译编者审定、修订、增订过的版本为首选，因此本文库又具有较为珍贵的版本价值和收藏价值。

本文库还将编选续辑，使之成为恢弘文化工程。诚挚希望读者给予批评和指正，帮助我们完善编选工作，再现三联经典作品之风采。殊为遗憾的是，由于年代久远，一些原著译编者及其后人未能取得联系并奉付稿酬，诚盼版权所有者与我们联系。祈愿三联前辈所创造的精神财富能薪火相传，为中华文化的伟大复兴增光添彩。

《三联经典文库》编辑委员会

2013 年 8 月

凡　例

一、本文库为重排本，由繁体字竖排版改为简体字横排版。

一、以忠实于原作、整旧如旧为编辑原则，对当时使用的专有名词、外文译名，以及民国时期的语言和特色予以保留。

一、原书注释如旧，编者所出的注释，均以“编者注”标明，以示与原书注释的区别。

一、对原书残缺或字迹漫漶之处，以□示代。

一、对繁简文本转换时的“如右”、“见左”一类，对应改为“如上（前）”、“见下（后）”。

一、对原书中各种错讹脱衍之处，直接订正，不再以其他符号标示。

一、对数字、标点符号的用法，在不损害原文语义的情况下，做必要的规范。

一、本文库各书均前插原书书影、原书版权页和文库版“本书出版说明”。

一、本书出版说明的撰写，以客观中立为原则，扼要介绍本书的内容、版本流转、著译编者的情况。

本书出版说明

在鲁迅去世十一周年之际，作为与鲁迅有着三十五年交情的挚友，作者应许广平力请，以平白朴实的语言，通过回忆一系列重要事件，简要回顾了鲁迅的一生。尤其通过对鲁迅生活细节的描写，比如爱给别人起绰号，学医实习时不忍对年轻女子和婴儿尸体解剖的情感，能背诵《天演论》全文，以及为作者长子开列参考书单等，为人们还原了一个真实的鲁迅，道出了挚友间“同声相应，同气相求”的默契与真情。

本书的初版本由峨嵋出版社于 1947 年 10 月在上海印行，1949 年 10 月生活·读书·新知三联书店据此又刊印了初版本。此后，人民文学出版社等多家出版社相继再版。此次出版，即以本店初版本为底本。

许寿裳（1883-1948），字季茀，号上遂，浙江绍兴人。1902 年赴日留学，在东京弘文学院与鲁迅相识，同拜于章太炎门下学习。1909 年回国，任浙江两级示范学堂教务长。1911 年南京临时政府成立后，应蔡元培之邀，赴宁筹建教育部，后随部迁往北京，任佥事、科长等职，兼任北京大学、北京高等师范学校教授。1927 年 10 月，又应邀出任由蔡元培创办的大学院（中央研究院前身）参事、秘书长，翌年任秘书处主任。1934 年起，任北平大学女子文理学院院长，创办《新苗》院刊。抗战期间，历任西北联合大学史学系主任、商学院院长、国文系教授，华西大学教授等职。1946 年夏，应台湾省行政长官陈仪之邀，出任台湾编译馆馆长，后任台湾大学教授兼国文系主任。1948 年 2 月 18 日，在台北寓所惨遭歹徒杀害。著作有《章炳麟传》、《鲁迅年谱》、《我所认识的鲁迅》、《俞樾传》、《中国文字学》、《李越缦〈秋梦记〉本文考》、《传记研究》、《怎样学习国语与语文》和《考试制度述要》等。

生活·读书·新知三联书店

2013 年 8 月

1949 年 10 月沪初版书影

亡友魯迅印象記

著者　許壽裳

發行者　生活·讀書·新知三聯書店
北京　天津　瀋陽　大連
哈爾濱　濟南　開封
西安　上海　香港　長沙

基本定價　四元九角
外埠酌加郵運費

出版期　一九四九年十月滬初版

印刷者　新華印刷廠
上海西康路四八九號

〔573〕〔Q266〕S.0001—2000(P.162)

原书版权页

目次

小　引

鲁迅逝世，转瞬快到十一周年了。那时候我在北平，当天上午便听到了噩音，不觉失声恸哭，这是我生平为朋友的第一副眼泪。鲁迅是我的畏友，有三十五年的交情，竟不幸而先殁，所谓“既痛逝者，行自念也”。因此陆续写了十多篇纪念的文字，如《怀亡友鲁迅》，《怀旧》，《鲁迅的生活》，《回忆鲁迅》，《关于〈弟兄〉》，《鲁迅和民族性研究》，《民元前的鲁迅先生》序，《鲁迅诗集》序，《鲁迅的几封信》等，都是“言之未尽，自视欿然”。近来，好几位朋友要我写这印象记，我也觉得还有些可以写的。只是碌碌少暇，未能握笔，最近景宋通信也说及此事，有“回忆之文，非师莫属”之语，我便立意随时写出，每章只标明目次，不很计其时间之先后。可惜现在身边没有《鲁迅全集》，有时想找点引证，多不可得，这是无可奈何的！

一　剪辫

一九〇二年初秋，我以浙江官费派往日本东京留学，初入弘文学院预备日语；鲁迅已经在那里。他在江南班，共有十余人，也正在预备日语，比我早到半年。我这一班也有十余人，名为浙江班，两班的自修室和寝室虽均是毗邻，当初却极少往来。我们二人怎样初次相见，谈些什么，已经记不清了。大约隔了半年之后吧，鲁迅的剪辫是我对他的印象中要算最初的而且至今还历历如在目前的。

留学生初到，大抵留着辫子，把它散盘在囟门上，以便戴帽。尤其是那些速成班有大辫子的人，盘在头顶，使得制帽的顶上高高耸起，形成一座富士山，口里说着怪声怪气的日本话。小孩们见了，呼作“锵锵波子”。我不耐烦盘发，和同班韩强士，两个人就在到东京的头一天，把烦恼丝剪掉了。那时江南班还没有一个人剪辫的。原因之一，或许是监督——官费生每省有监督一人，名为率领学生出国，其实在东毫无事情，连言语也不通，习俗也不晓，真是官样文章——不允许吧。可笑的是江南班监督姚某，因为和一位姓钱的女子有奸私，被邹容等五个人闯入寓中，先批他的嘴巴，后用快剪刀截去他的辫子，挂在留学生会馆里示众，我也兴奋地跑去看过的。姚某便只得狼狈地偷偷地回国去了。鲁迅剪辫是江南班中的第一个，大约还在姚某偷偷回国之先，这天，他剪去之后，来到我的自修室，脸上微微现着喜悦的表情。我说："阿，壁垒一新！"他便用手摩一下自己的头顶，相对一笑，此情此景，历久如新，所以我说这是最初的，而且至今还历历如在目前的一个印象。

鲁迅对于辫子，受尽痛苦，真是深恶而痛绝之，他的著作里可以引证的地方很多，记得《呐喊》便有一篇《头发的故事》，说头发是我们中国人的宝贝和冤家。晚年的《且介亭杂文》里有云：

> 对我最初提醒了满汉的界限的不是书，是

辫子。这辫子，是砍了我们古人的许多头，这才种定了的，到得我有知识的时候，大家早忘却了血史，反以为全留乃是长毛，全剃好像和尚，必须剃一点，留一点，才可以算是一个正经人了。而且还要从辫子上玩出花样来；……（《病后杂谈之余》）

鲁迅回国之后，照例装假辫子，也受尽侮辱，同书里有云：

“不亦快哉！”——到了一千九百十一年的双十，后来绍兴也挂起白旗来，算是革命了。我觉得革命给我的好处，最大，最不能忘的是我可以从此昂头露顶，慢慢的在街上走，再不听到什么嘲骂。几个也是没有辫子的老朋友从乡下来，一见面就摩着自己的光头，从心底里笑了出来道：哈哈，终于也有了这一天了。（同上）

鲁迅的那篇绝笔《因太炎先生而想起的二三事》

(《且介亭杂文末编》) 有云:

……假使都会上有一个拖着辫子的人，三十左右的壮年和二十上下的青年，看见了恐怕以为珍奇，或者竟觉得有趣，但我却仍然要憎恨，愤怒，因为自己是曾经因此吃苦的人，以剪辫为一大公案的缘故。我的爱护中华民国，焦唇敝舌，恐其衰微，大半正为了使我们得有剪辫的自由。假使当初为了保存古迹，留辫不剪，我大约是决不会这样爱她的。

看了上面所引，鲁迅在初剪辫子的时候，那种内心的喜悦，也就可以推测，无怪不知不觉地表现到脸上来了。

二　屈原和鲁迅

鲁迅在弘文学院时，已经购有不少的日本文书籍，藏在书桌抽屉内，如拜伦的诗，尼采的传，希腊神话，罗马神话等等，我看见了这些新书中间，夹着一本线装的日本印行的《离骚》——这本书，他后来赴仙台学医，临行时赠给我了——稍觉得有点奇异。这也是早期印象之一。他曾经对我说过：“《离骚》是一篇自叙和托讽的杰作，《天问》是中国神话和传说的渊薮。”所以他的《中国文学史》[1]上，关于《离骚》有这样的话：

其辞述已之始生，以至壮大，迄于将终，虽怀内美，重以修能，正道直行，而罹谗贼。

[1] 即《中国文学史略》，是鲁迅于1926年在厦门大学讲授中国文学史课程时所编写的讲义。

于是放言遐想，称古帝，怀神山，呼龙虬，思佚女，申纾其心，自明无罪，因以讽谏。次述占于灵氛，问于巫咸，无不劝其远游，毋怀故宇。于是驰神纵意，将翱将翔，而眷怀宗国，终又宁死而不忍去也。

他的《中国小说史略》上，关于《天问》说：

若求之诗歌，则屈原所赋，尤在《天问》中，多见神话与传说，如“夜光何德，死则又育？厥利惟何，而顾菟在腹？”“鲧何所营？禹何所成？康回冯怒，地何故以东南倾？”“昆仑县圃，其尻安在？增城九重，其高几里？”“鲮鱼何所？鬿堆焉处？羿焉彃日？乌焉解羽？”是也。

记得郭沫若先生著《庄子与鲁迅》一文，说鲁迅熟于《庄子》，就其文章中惯用《庄子》的词句摘了好多出来，这话是确当的。鲁迅又熟于“屈子”，我也仿照就其几首旧诗中，很粗略地摘一点出来，以见一斑。其中有全首用骚词，如：

一枝清采妥湘灵，
九畹贞风慰独醒。
无奈终输萧艾密，
却成迁客播芳馨！

此外，如：

词句	**诗题**	**著作年份**
荃不察	自题小像	一九〇三
扶桑	送增田涉君归国	一九三一
美人不可见	无题	同上
浩歌	同上	同上
佳人	送 O.E. 君携兰归国	同上
遗远者	同上	同上
湘灵	湘灵歌	同上
浩荡	无题	一九三二

洞庭木落	同上	同上
渺渺	同上	同上
春兰秋菊	偶成	同上
华灯	所闻	同上
玄云	无题二首	同上
惆怅	同上	同上
无女耀高丘	悼丁君	一九三三
蛾眉	报载患脑炎戏作	一九三四
众女	同上	同上
芳草变	秋夜有感	同上

又鲁迅采作《彷徨》题词的是：

朝发轫于苍梧兮，夕余至乎县圃。
欲少留此灵琐兮，日忽忽其将暮。
吾令羲和弭节兮，望崦嵫而勿迫。
路曼曼其修远兮，吾将上下而求索。

这八句正写升天入地，到处受阻，不胜寂寞彷徨之感。

又鲁迅在北平阜成门内，西三条胡同寓屋书室，所谓“老虎尾巴”者，壁上挂着一副他的集骚句，倩乔大壮写的楹联，其文为：

望崦嵫而勿迫；

恐鹈鴂之先鸣！

这表明格外及时努力，用以自励之意。

我早年和鲁迅谈天，曾经问过他，《离骚》中最爱诵的是那几句？他便不假思索，答出下面的四句：

朝吾将济于白水兮，

登阆风而緤马。

忽反顾以流涕兮，

哀高丘之无女！

依我想，“女”是理想的化身。这四句大有求不到理想的人誓不罢休之意，所以下文还有“折琼枝以继佩”之句。

至于说“《天问》是中国神话和传说的渊薮”，也是正当的。可惜书中至今还有未得其解的地方，自近年来，卜辞出土，新证遂多，使难以索解之文渐次明白了。例如王国维先生考定了《山海经》中屡称帝俊，俊就是帝喾；又所说王亥(《大荒东经》)确是殷代的先祖。于是《天问》中，“该秉季德……恒秉季德……”，足以证明了“该”即王亥，乃始作服牛之圣。“恒”是王恒，也是殷的先祖。所以王先生说：

> 壬亥与上甲微之间，又当有王恒一世，以《世本》、《史记》所未载，《山经》、《竹书》所不详，而今于卜辞得之；《天问》之辞，千古不能通其解者，而今由卜辞通之，此治史学与文学者所当同声称快也。

三　杂谈名人

二十世纪初年，我国译界负盛名的有两人：曰严复，曰林纾。鲁迅受过这两人的影响，后来却都不大佩服了。有一天，我们谈到《天演论》，鲁迅有好几篇能够背诵，我呢，老实说，也有几篇能背的，于是二人忽然把第一篇《察变》背诵起来了——

赫胥黎独处一室之中，在英伦之南，背山而面野，槛外诸境，历历如在几下。乃悬想二千年前，当罗马大将恺撒未到时，此间有何景物：计惟有天造草昧，人功未施，其藉征人境者，不过几处荒坟，散见坡陀起伏间；而灌木丛林，蒙茸山麓，未经删治如今日者则无疑也。……

鲁迅到仙台以后，有一次给我通信，还提及《天演论》，开个玩笑。大意是说仙台气候寒冷，每天以入浴取暖。而仙台浴堂的构造，男女之分，只隔着一道矮的木壁。信中有云："同学阳狂，或登高而窥裸女。"自注："昨夜读《天演论》，故有此神来之笔！"

严氏译《天演论》，自称达旨。为什么称达旨呢？只要取赫胥黎的原本——《进化和伦理学》，和严氏所译一对照，便可了然。原本中只是一节，而译本扩充为一篇。达是达了，究竟不能说是译书的正法。他又译穆勒的《名学》，亚丹斯密的《原富》，斯宾塞的《群学肄言》，甄克思的《社会通诠》，较为进步。总之，他首开风气，有筚路蓝缕之功。鲁迅时常称道他的"一名之立，旬月踟蹰，我罪我知，是存明哲"，给他一个轻松的绰号，叫做"不佞"。——鲁迅对人，多喜欢给予绰号，总是很有趣的。后来，我们读到章太炎先生的《社会通诠商兑》，有云：

就实论之，严氏固略知小学，而于周秦两汉唐宋儒先之文史，能得其句读矣。然相其文质，于声音节奏之间，犹未离于帖括。申夭之态，回复之词，载飞载鸣，情状可见，盖俯仰于桐城之道左，而未趋其庭庑者也……

从此鲁迅对于严氏，不再称“不佞”，而改称“载飞载鸣”了。

林纾译述小说有百余种之多，也是首开风气的事业。他不谙原文，系经别人口述，而以古文笔法写出。出版之后，鲁迅每本必读，而对于他的多译哈葛德和科南道尔的作品，却表示不满。他常常对我说：“林琴南又译一部哈葛德！”又因其不谙原文，每遇叙难状之景，任意删去，自然也不以为然。

严林二人之外，有蒋智由，也是一位负盛名的维新人物而且主张革命的。他居东颇久，我和鲁迅时常同往请教的，尤其在章先生上海入狱的时候。他当初还未剪辫，喜欢带一顶圆顶窄檐的礼帽，通俗所谓绅士帽者是。他的诗文清新，为人们所传诵，例如《送匋耳山人归国诗》——

亭皋飞落叶，鹰隼出风尘。

慷慨酬长剑，艰难付别尊。

敢云吾发短，要使此心存。

万古英雄事，冰霜不足论！

匋耳山人指吾友陶焕卿，归国是为的运动革命。焕卿名成章，是一位革命元勋，留学未久，即行返国，生平蓬头垢面，天寒时，用草绳做衣带，芒鞋日行八九十里，运动浙东诸县的豪俊起义，屡遭危难，而所向有功。又游南洋群岛，运动侨民。辛亥年自爪哇归时，浙江已反正了，举汤寿潜为都督了，焕卿被任为参议，郁郁不得志，自设光复军总司令部于上海，募兵，为忌者所暗杀。我撰挽联有云："看今日江山光复，如火如荼，到处染我公心血。"观云这首诗的头两句，就很能映出焕卿的时代背景及其一鸣惊人的神采。

又有一首是——

金陵有阁祀湘乡曾氏，悬额"江天小阁坐人豪"，有人以擘窠大字题其上曰："此杀我同种汉贼曾国藩也。”诗以记之 。

“江天小阁坐人豪”，收拾河山奉满朝。

赢得千秋题汉贼，有人史笔已如刀。

可是有一次，蒋氏谈到服装问题，说满清的红缨帽有威仪，而指他自己的西式礼帽则无威仪。我们听了，颇感奇怪。辞出之后，鲁迅便在路上说：“观云的思想变了。”我点点头。我们此后也不再去。果然，不久便知道他和梁启超组织政闻社，主张君主立宪了。于是鲁迅便给他一个绰号——“无威仪”。

四 《浙江潮》撰文

一九〇二年春，革命元勋章先生避地东京，和国父会见，英杰定交，同谋革命，同时发起“中夏亡国二百四十二年纪念会”以励光复，并且撰书告留学生，极为沈痛。有云：“……愿吾滇人无忘李定国，愿吾闽人无忘郑成功，愿吾越人无忘张煌言，愿吾桂人无忘瞿式耜，愿吾楚人无忘何腾蛟，愿吾辽人无忘李成梁！……”鲁迅那时已在东京，当然受到这位革命元勋的莫大的影响。

翌年，章先生在沪，又和同志公开讲演革命，讲稿辄在《苏报》上发表，后来竟成了轰动全国的“《苏报》案”。章先生和邹容虽因此而入狱，然而革命党的声气从此大盛，和清政府对质于公堂，俨然成了敌国之势。这时候，东京方面，杂志云起，《浙江潮》也出世了。命名之始，就起了两派的争执：温和的一派主张用浙江同乡会月刊之类，激烈的一派大加反对，主张用这个名称，来作革命潮汹涌的象征。起初由孙江东，蒋百里二人主编。百里撰《发刊词》，有云："忍将冷眼，睹亡国于生前，剩有雄魂，发大声于海上。"其最引人注意的，是登载章先生狱中的诗四首，最为鲁迅所爱诵，现录两首于下：

狱中闻湘人杨度被捕有感二首

六月十八日

神狐善埋搰，高鸟喜回翔。
保种平生愿，征科绝命方。
马肝原识味，牛鼎未忘香。
千载《湘军志》，浮名是锁缰。

衡岳无人地，吾师洪大全。
中兴沴诸将，永夜遂沈眠。
长策惟干禄，微言是借权。
藉君好颈子，来者一停鞭。

还有章先生的《张苍水集》后序，也是鲁迅所爱诵的，其末段有云：

……乃夫提师数千，出入江海，一呼南畿，数郡皆蒲伏，至江淮鲁卫诸豪，悉诣军门受约束，群虏詟栗，丧气而不敢动。若公者，非独超跃史何诸将相，虽宋之文李，犹愧之矣。余生后于公二百四十岁，公所挞伐者益衰。然戎夏之辨，九世之仇，爱类之念，犹湮郁于中国。雅人有言："我不见兮，言从之迈"，欲自杀以从古人也。余不得遭公为执牧圉，犹得是编丛杂书数札，庶几明所乡往。有读公书而犹忍与彼虏终古者，非人也！

这时我和鲁迅已经颇熟，我觉得他感到孤寂，其实我自己也是孤寂的。刚刚为了接编《浙江潮》，我便向他拉稿。他一口答应，隔了一天便缴来一篇——《斯巴达之魂》。他的这种不谦让，不躲懒的态度，与众不同，诺言之迅和撰文之迅，真使我佩服！这篇文是少年作，借斯巴达的故事，来鼓励我们民族的尚武精神。后来他虽自惭幼稚，其实天才没有不从幼稚生长来的。文中叙将士死战的勇敢，少妇斥责生还者的严厉，使千载以下的读者如见其人！

鲁迅又撰一篇《说鈤》，这是新元素“镭”的最初的绍介。那时候“镭”刚刚被居里夫妇发见，鲁迅便作文以饷国人，并且唤起纯粹科学研究的重要。

五　仙台学医

鲁迅往仙台学医的动机有四：我在《鲁迅的生活》和《回忆鲁迅》文中已经叙明了。别后，他寄给我一张照片，后面题着一首七绝诗，有“我以我血荐轩辕”之句，我也在《怀旧》文中，首先把它发表过了。现在只想从他的仪容和风度上追忆一下。

鲁迅的身材并不见高，额角开展，颧骨微高，双目澄清如水精，其光炯炯而带着幽郁，一望而知为悲悯善感的人。两臂矫健，时时屏气曲举，自己用手抚摩着；脚步轻快而有力，一望而知为神经质的人。赤足时，常常盯住自己的脚背，自言脚背特别高，会不会是受着母亲小足的遗传呢？总之，他的举动言笑，几乎没有一件不显露着仁爱和刚强。这些特质，充满在他的生命中，也洋溢在他的作品上，以成为伟大的作家，勇敢的斗士——中华民族的魂。

他的观察很锐敏而周到，仿佛快镜似的使外物不能遁形。因之，他的机智也特别丰富，文章上固然随处可见，谈吐上尤其层出不穷。这种谈锋，真可谓一针见血，使听者感到痛快，有一种涩而甘，辣而腴的味道。第三章所举给人绰号，便是一个例子。吾友邵铭之听他的谈话，曾当面评为"毒奇"。鲁迅对这"毒奇"的二字评，也笑笑首肯的。

他在医学校，曾经解剖过许多男女老幼的尸体。他告诉我：最初动手时，颇有不安之感，尤其对于年青女子和婴孩幼孩的尸体，常起一种不忍破坏的情绪，非特别鼓起勇气，不敢下刀。他又告诉我：胎儿在母体中的如何巧妙，矿工的炭肺如何墨黑，两亲花柳病的贻害于小儿如何残酷。总之，他的学医，是出于一种尊重生命和爱护生命的宏愿，以便学成之后，能够博施于众。他不但对于人类的生命，这样尊重爱护，推而至于渺小的动物亦然。不是《呐喊》里有一篇《兔和猫》，因为两个小白兔不见了，便接连说一大段凄凉的话吗？从这一点就可以看出鲁迅的伟大之心！

他学医的成绩很不错，引起同学们一度的嫉妒和侮辱，记得他的《朝花夕拾》里曾经提到。吾友谢似颜觉得最可注意的，是他的伦理学成绩在优等。这话很切当。可见鲁迅不但在说明科学，研究有得，而且在规范科学，也是聚精会神，恢恢乎游刃有余。因之客观方面既能说明事实的所以然，主观方面又能判断其价值。以之知人论世，所以能切中肯綮；以之与人辩驳，所以能论据确凿，自立于不败之地；以之运用于创作，又每有双管齐下之妙。这种造诣，非有得于规范科学，洞悉真善美的价值判断者万不能达到的。

鲁迅学医时期的轶事，像水户下车去访朱舜水的遗迹呀，火车上让坐给老妇人，弄得后来口渴想买茶而无钱呀，记得我已经发表过，无须再赘。现在忽然记起一件和我有关的故事来了。一九〇五年春，我在东京高师学校读完了预科，趁这樱花假期，便和钱均夫二人同往箱根温泉，打算小住十天，做点译书的工作。路上偏遇到大雨，瀑布高高地飞着，云被忽然来裹住了，景色实在出奇。所以我住下旅馆，就写了好几张明信片，寄给东京的友人何燮侯、许缄夫、陈公孟、鲁迅等——鲁迅在春假中，也来东京，和我同住，不过他学校的假期短，须早回仙台去——报告寓址和冒雨旅行的所见。隔了一二日，收到友人的回片，或称我们韵人韵事，或羡我们饱享眼福，我看了不以为意。后来，公孟忽然到了，鲁迅也跟着来了。我自然不以为奇。大家忻然围坐谈天，直到夜半。第二天结伴登山，游“芦之湖”，路上还有冰雪的残块，终于爬到山顶。这个湖是有名的囱口湖——我译火山为地囱，译火山喷口为囱口——真是天开图书，风景清丽绝了。一排的旅馆临湖建筑着，我们坐在阳台上，只见四山环抱这个大湖，正面形成一个缺口，恰好有“白扇倒悬东海天”的“富士山”远远地来补满。各人入浴既了，坐对“富士”，喝啤酒，吃西餐，其中炸鱼的味道最鲜美，各人都吃了两份。真的，一直到现在，我实在再没有吃到这里似的好鱼。兴尽下山，大家认为满意，不虚此行。

谁知道公孟之来，原是有“特务”的。因为有章某向同乡造谣，说我们是为的“藏娇”到箱根去的。同乡友人们不相信，公孟也不信，却自告奋勇，要得个真相。鲁迅也不信，说假使真的“藏娇”，还会自己来报告寓址吗？天下没有这样傻瓜！果然，后来情形大白了，同乡友人们均鄙视这造谣的人。这件事隔了好久，鲁迅才对我说穿，我们相视大笑！

六　办杂志·译小说

鲁迅在弘文学院的时候，常常和我讨论下列三个相关的大问题：

一、怎样才是最理想的人性？

二、中国国民性中最缺乏的是什么？

三、它的病根何在？

他对这三大问题的研究，毕生孜孜不懈，后来所以毅然决然放弃学医而从事于文艺运动，其目标之一，就是想解决这些问题，他知道即使不能骤然得到全部解决，也求于逐渐解决上有所贡献。因之，办杂志、译小说，主旨重在此；后半生的创作数百万言，主旨也重在此。茅盾先生说得好：

……我看到了古往今来若干伟大的 Humanist

中间一个——鲁迅先生！

古往今来伟大的文化战士，一定也是伟大的 Humanist；换言之，即是“最理想的人性”的追求者，陶冶者，颂扬者。……正因为他们所追求而阐扬者，是“最理想的人性”，所以他们不得不抨击一切摧残，毒害，蔽塞“最理想的人性”之发展的人为的枷锁——一切不合理的传统的典章文物。这是各时代各民族的 Humanist 所相同的。而鲁迅先生，则于“同”中更有其特殊者在。这特殊的什么，乃是拥有五千年悠久历史而现在则镣索重重的“东方文明”古国之历史的与现实的条件所产生而养育的。讲到什么是“最理想的人性”，中国儒家者流确已说得很多；然而这些美丽动听的词句，经过现实的天平，就露了马脚。鲁迅先生指出了“吃人的礼教”，就是批判数千年最有力的美丽动听的儒家的“最理想的人性”的图案和规章，而追问着：“怎样才是最理想的人性？”

一切伟大的 Humanist 的事业，一句话可以概括：拔出“人性”中的萧艾，培养“人性”的芝兰。然而不是每个从事于这样事业的人都明白认出那些“萧艾”是在什么条件之下被扶植而滋长，又在什么条件之下，那些“芝兰”方能含葩挺秀。中国古来的哲人，最缺乏者，就是此种明白的认识。“人性”或“最理想的人性”，原无时空的限制，然而在一定的时间条件之中，会形成“人性”的同中之异，此即所谓国民性或民族性。……

鲁迅先生三十年工夫的努力，在我看来，除了其他重大的意义外，尚有一同样或许更重大的贡献，就是给三个相联的问题开创了光辉的道路。……（《中苏文化》第九卷第二、三期合刊，茅盾：《最理想的人性》）

鲁迅想办杂志而未成，记得《呐喊》自序上已有说明：出版期快到了，但最先就隐去了若干担任文稿的人，接着又逃走了资本，结果只余下不名一钱的三个人。这三个人乃是鲁迅及周作人和我。这杂志的名称，最初拟用“赫戏”或“上征”，都采取《离骚》的词句，但觉得不容易使人懂，才决定用“新生”这二字，取新的生命的意思。然而有人就在背地取笑了，说这会是新进学的秀才呢。我还记得杂志的封面及文中插图等等，均已经安排好好的，可惜没有用，而鲁迅做事的井井有条，丝毫不苟，很值得敬佩。

后来他在《河南》杂志撰文，如《科学史教篇》，《摩罗诗力说》等，和他的少年作相较已经大有进步了，他深深地慨叹中国的无声，历史上虽伟大作家如屈原，抱九死无悔之贞，而乏反抗挑战之力，这不能不说是国民性缺点之一。有云：

> ……惟灵均将逝，脑海波起，通于汨罗，返顾高丘，哀其无女，则抽思哀怨，郁为奇文，茫洋在前，顾忌皆去，怼世俗之浑浊，颂己身之修能，怀疑自遂古之初，直至百物之琐末，放言无惮，为前人所不敢言。然中亦多芳菲凄恻之音，而反抗挑战，则终其篇未能见，感动后世，为力非强。刘彦和所谓“才高者菀其鸿裁，

中巧者猎其艳辞，吟讽者衔其山川，童蒙者拾其香草”，皆着意外形，不涉内质，孤伟自死，社会依然，四语之中，函深哀焉，故伟美之声，不震吾人之耳鼓者，亦不始于今日。(《摩罗诗力说》)

鲁迅编译《域外小说集》二册，实在是中国介绍和翻译欧洲新文艺的第一人，我在《鲁迅的生活》中已经论及，现在从略。

七　从章先生学

章太炎先生是革命元勋，同时是国学大师。他的学术之大，可谓前无古人。拙著《章炳麟传》(胜利出版社印行)的《绪言》中说：

> ……试看满清一代的学术，惟有语言文字之学，就是所谓小学，的确超轶前贤，光芒万丈，其余多是不振的。其原因就在满洲入关以后，用种种凶暴阴险的手段来消灭我们汉族的民族意识。我们看了足以惊心动魄，例如兴文字狱呀，焚书呀，删改古书呀。民多忌讳，所以歌诗文史趋于枯窳；愚民策行，所以经世实用之学也复衰竭不堪。使一般聪慧的读书人，都只好钻入故纸堆里，做那考据训诂的学问。独有

先生出类拔萃，虽则他的入手工夫也是在小学，然而以朴学立根基，以玄学致广大，批判文化，独具慧眼，凡古今政俗的消息，社会文野的情状，中印圣哲的义谛，东西学人的所说，莫不察其利病，识其流变，观其会通，穷其指归。“千载之秘，睹于一曙。”这种绝诣，在清代三百年学术史中没有第二个人。

章先生出狱以后，东渡日本，一面为《民报》撰文，一面为青年讲学，其讲学之地，是在大成中学里一间教室。我和鲁迅极愿往听，而苦与学课时间相冲突，因托庞未生（宝铨）转达，希望另设一班，蒙先生慨然允许。地址就在先生的寓所——牛込区二丁目八番地《民报》社，每星期日清晨，我们前往受业，在一间陋室之内，师生环绕一张矮矮的小桌，席地而坐。先生讲段氏《说文解字注》，郝氏《尔雅义疏》等，神解聪察，精力过人，逐字讲释，滔滔不绝，或则阐明语原，或则推见本字，或则旁证以各处方言。自八时至正午，历四小时毫无休息，真所谓“诲人不倦”。其阐明语原，例如说，天得声于囟，地得声于也：

《说文》，囟，头会脑盖也。象形。……囟变为天颠，犹一孳乳为真，齿音敛为舌音也。天，颠也；颠，顶也。……天为人顶，引伸为苍苍者，犹也为女阴，孳乳为地也，初只作囟也而已……（详见《章氏丛书·文始》卷三，囟字）

《说文》，也，女阴也。从乀。象形。乀亦声。此合体象形也。秦刻石作芒孳乳为地，重浊阴为地。古文地当只作也。……人体莫高于顶，莫下于阴（原注，足虽在下，然四支本可旁舒，故足不为最下，以阴为极），故以题号乾坤。（详见《文始》卷一，也字）

其推见本字，例如说“蝉嫣”，“蝉联”，蝉都是单之借。因为诗经“其军三单”，《毛传》训袭，乃是单字的本义。何谓“三单”？说经者以为三辰之旂，未谛，乃是说更番征调，以后至者充前人之缺，犹今时常备，后备，预备之制，这是先生的创获之一。

> ……单训为袭，是其本义。古文作，象其系联也。小篆为单，象古文变其形。《释天》：“太岁在卯曰单阏。”孙炎作蝉焉。《方言》：“蝉，联也。”《扬雄传》曰：“有周氏之蝉嫣。”蝉嫣训连，连续即相袭义；此借蝉为单也。《孟子》曰：“唐虞禅。”《汉书·文帝记》曰：“嬗天下。”禅本封禅，嬗本训谖，今以此为继位之义，亦借为单。禅位犹言袭位也。明此，则毛公训单为袭，斯为本义。其军三单者，更番征调，犹卒更，践更，过更之制，其事易明。……《说文》训大，乃繟之假借也。（《太炎文录》卷一《与尤莹问答记》，并参阅同卷《毛公说字述》及《文始》卷一，单字）

其旁证方言，例如今言“甚么”即“舍”之切音；今言“光蛋”即“矜”之切音；元寒戈歌对转，故今言“蘩菜”声如“波菜”；古无轻唇音，故“蜚虱”本读“毕虱”。（详见《章氏丛书·新方言》）

章先生讲书这样活泼，所以新谊创见，层出不穷。

就是有时随便谈天，也复诙谐间作，妙语解颐。其《新方言》及《小学答问》两书，都是课余写成的，其体大思精的《文始》，初稿也起于此时。我们同班听讲的，是朱蓬仙（宗莱），龚未生，钱玄同（夏），朱逷先（希祖），周豫才（树人，即鲁迅），周起孟（作人），钱均夫（家治），和我共八人。前四人是由大成再来听讲的。听讲时，以逷先笔记为最勤；谈天时以玄同说话为最多，而且在席上爬来爬去。所以鲁迅给玄同的绰号曰“爬来爬去”。

鲁迅听讲，极少发言，只有一次，因为章先生问及文学的定义如何，鲁迅答道：“文学和学说不同，学说所以启人思，文学所以增人感。”先生听了说：这样分法虽较胜于前人，然仍有不当。郭璞的《江赋》，木华的《海赋》，何尝能动人哀乐呢。鲁迅默然不服，退而和我说：先生诠释文学，范围过于宽泛，把有句读的和无句读的悉数归入文学。其实文字与文学固当有分别的，《江赋》、《海赋》之类，辞虽奥博，而其文学价值就很难说。这可见鲁迅治学“爱吾师尤爱真理”的态度！

八　西片町住屋

一九〇八年春，我结束了东京高师的课业，打算一面补习国文，仍旧就学于章先生之门，一面续习德文，准备往欧洲留学。为要选择一个较优的环境，居然在本乡区西片町寻到一所华美的住宅。这原是日本绅士的家园，主人为要迁居大阪，才租给我的。规模宏大，房间新洁而美丽，庭园之广，花木之繁，尤为可爱，又因为建筑在坂上，居高临下，正和小石川区的大道平行，眺望也甚佳。我招了鲁迅及其弟起孟，钱均夫，朱谋宣共五人居住，高大的铁门旁边，电灯上署名曰“伍舍”。

西片町是有名的学者住宅区，几乎是家家博士，户户宏儒。我们的一家偏是五个学生同居。房屋和庭园却收拾的非常整洁，收房租的人看了也很满意。由西片町一拐湾出去，便是东京帝大的所在，赫赫的赤门，莘莘的方帽子群进群出。此地一带的商店和电车，多半是为这些方帽子而设的。方帽子越是破旧的，越见得他的年级高，资格老，快要毕业了。

鲁迅从小爱好植物，幼年时喜欢看陈淏子的《花镜》等书，常常到那爱种花木的远房叔祖的家，赏玩稀见的植物，又在《朝花夕拾》里，描写幼年读书的家里，一个荒废的“百草园”，是何等的有趣而足以留连！他在弘文学院时代，已经买了三好学的《植物学》两厚册，其中着色的插图很多。所以他对于植物的培养有了相当的素养。伍舍的庭园既广，隙地又多，鲁迅和我便发动来种花草，尤其是朝颜即牵牛花，因为变种很多，花的色彩和形状，真是千奇百怪。每当晓风拂拂，晨露湛湛，朝颜的笑口齐开，作拍拍的声响，大有天国乐园去人不远之感。傍晚浇水，把已经开过的花蒂一一摘去，那么以后的花轮便会维持原样，不会减小。其余的秋花满地，蟋蟀初鸣，也助我们的乐趣！

鲁迅生平极少游玩。他在仙台时，曾和同学游过一次松岛，有许多张海上小岛的松林雪景的照片给我看。在东京伍舍时，有一次我和他同游上野公园看樱花，还是因为到南江堂购书之便而去的。上野的樱花确是可观，成为一大片微微带红色的云彩。花下的茶肆，接席连茵，铺以红毡，用清茶和樱饼饷客，记得袁文薮曾有《东游诗草》，第一首便是咏上野樱花的：

阿谁为国竭孤忠，
铜像魁梧“上野通”，
几许行人齐脱帽，
樱花丛里识英雄。

“上野通”是上野大道的意思，西乡隆盛的铜像建立在公园中，日本人对他没有一个不脱帽致敬的。

我和鲁迅不但同居，而且每每同行，如同往章先生处听讲呀，同往读德文呀——那时俄文已经放弃不读了；又同访神田一带的旧书铺，同访银座的规模宏大的丸善书店呀。因为我们读书的趣味颇浓厚，所以购书的方面也颇广泛，只要囊中有钱，便不惜“孤注一掷”，每每弄得怀里空空而归，相对叹道：“又穷落了！”这些苦的经验，回忆起来，还是很有滋味的。

可惜好景不常，盛会难再，到冬时，荷池枯了，菊畦残败了，我们的伍舍也不能支持了，因为同住的朱钱两人先退，我明春要去德国，所以只好退租。鲁迅就在西片町，觅得一所小小的赁屋，预备我们三个人暂时同住，我走以后，则他们兄弟二人同住。我那时对于伍舍，不无留恋，曾套东坡的诗句成了一首《留别伍舍》如下：

"荷尽已无擎雨盖，
菊残犹有傲霜枝。"
壶中好景长追忆，
最是朝颜裛露时。

九　归国在杭州教书

一九〇九年初春，留欧学生监督蒯礼卿辞职，我的学费无着了，只好把欧游临时终止，归国来担任浙江两级师范学堂的教务长了。鲁迅对我说："你回国很好，我也只好回国去，因为起孟将结婚，从此费用增多，我不能不去谋事，庶几有所资助。"他托我设法，我立刻答道："欢迎，欢迎！"我四月间归国就职，招生延师，筹备开学，其时新任监督是沈衡山先生，对于鲁迅一荐成功，于是鲁迅就在六月间归国来了。我在《关于〈弟兄〉》文中，有一段说道：

> ……鲁迅在东京不是好好的正在研究文艺，计划这样，计划那样吗？为什么要"归国，任浙江两级师范学堂生理学化学教员"呢？这

因为作人那时在立教大学还未毕业，却已经和羽太信子结了婚，费用不够了，必须由阿哥资助，所以鲁迅只得自己牺牲了研究，回国来做事。鲁迅《自传》中，所谓“终于，因为我的母亲和几个别人很希望我有经济上的帮助，我便回到中国来”，“几个别人”者，作人和羽太信子也。……

鲁迅教书是循循善诱的，所编的讲义是简明扼要，为学生们所信服。他灯下看书，每至深夜，有时还替我译讲义，绘插图，真是可感！到了冬天，学校里忽然起了一个风潮，原因由于监督易人：衡山先生被选为谘议局副议长了，继任者是一位以道学自命的夏震武，我们名之曰“夏木瓜”。到校的一天，他要我陪同谒圣，我拒绝了，说开学时已经拜过孔子，恕不奉陪。他很不高兴，我也如此。接着因为他对于住堂的教员们，仅仅差送一张名片，并不亲自拜会，教员们大哗，立刻集会于会议厅，请他出席，他还要摆臭架子，于是教员们一哄而散。我因为新旧监督接替未了，即向旧监督辞职，不料教员们也陆续辞职，鲁迅便是其中之一。教员计有朱希祖，夏丏尊，章嵚，张宗祥，钱家治，张邦华，冯祖荀，胡濬济，杨乃康，沈朗斋……统统搬出了校舍，表示决绝。夏震武来信骂我是“离经叛道，非圣侮法”，简直是要砍头的罪名，我便报以“理学欺人，大言诬实”。使得他只好勉强辞职，我们便回校，回校后开了一个“木瓜纪念会”。

鲁迅最富于正义感，义之所在，必尽力以赴，不畏强御而强御畏之。那时候他在家乡也遇到这样的事：他的外家在安桥头，《社戏》中所描写的乡间景色，便是这里的景色。其舅氏鲁寄湘是个书生而擅长中医，和中药店伙章某相友善。章某怂恿他在镇塘殿开个药店，章某自荐可以任经理；其地离安桥头不过三里，舅氏可以随时前往，为人诊病，以资消遣；言之成理，小店遂开成了。不料章某自便私图，在几个月内就盗弄一空，舅氏看事无可为，赶快把店铺收歇了。章某还不满意，看得舅氏忠厚可欺，又怂恿孙断市有大势力的孙某，假借市商务分会的名义来反对歇业，定期开会，通知舅氏出席，打算和他为难。舅氏大窘，特地来和鲁迅商量对付之法。鲁迅说这事理直气壮，毫无可怕，我就可做你的代表出席。届时，鲁迅便单身独往，等候到晚，竟没有一个人来会，鲁迅自行回去了，此事也就风平浪静了。

鲁迅极少游览，在杭州一年之间，游湖只有一次，还是因为应我的邀请而去的。他对于西湖的风景，并没有多大兴趣。“保俶塔如美人，雷峰塔如醉汉”，虽为人们所艳称的,他却只说平平而已;烟波千顷的“平湖秋月”和“三潭印月”，为人们所留连忘返的，他也只说平平而已。

一〇　入京和北上

中华民国元年一月一日临时政府成立，定都南京，蔡孑民先生任教育总长。其时一切草创，规模未具，部中供给膳宿，每人仅月支三十元。我被蔡先生邀至南京帮忙，草拟各种规章，日不暇给，乘间向蔡先生推荐鲁迅。蔡说："我久慕其名，正拟驰函延请，现在就托先生——蔡先生对我，每直称先生——代函敦劝，早日来京。"我即连写两封信给鲁迅，说蔡先生殷勤延揽之意。鲁迅在《朝花夕拾·范爱农》有说：

……然而事情很凑巧，季茀写信来催我往南京了。爱农也很赞成，但颇凄凉，说：——"这里又是那样，住不得，你快去罢……"

我懂得他无声的话，决计往南京。

不久，鲁迅来京了，我们又复聚首，谈及故乡革命的情形，多属滑稽而可笑。我们白天则同桌办公，晚上则联床共话，暇时或同访图书馆，鲁迅借钞《沈下贤集》，《唐宋传奇集》所收的《湘中怨辞》,《异梦录》,《秦梦记》，就在这时钞写的。或同寻满清驻防旗营的废址，只看见一片焦土，在瓦砾堆中，有一二年老的满洲妇女，住在没有门窗的破屋里，蠕蠕而动，见了我们，其惊惧似小鼠，连说没有什么，没有什么。鲁迅为我讲述当年在路矿学堂读书，骑马过旗营时，老是受旗人的欺侮，言下犹有余恨。后来蔡先生被命北上，迎接袁世凯去了，次长景耀月来代理部务。此人好大喜功，只知扩充自己势力，引用私人，忽然开会议要办杂志了，鲁迅不很睬他，他也太不识人，据说暗中开了一大张名单，送请大总统府任命，竟把周树人的姓名无端除去。幸而蔡先生就回来了，赶快把这件事撤销，否则闹成大笑话了。

四月中，我和鲁迅同返绍兴，五月初，同由绍兴启程北上，还有蔡谷清和舍侄世璇同行。记得在上海登轮之前，鲁迅买了一部有正书局出版的《红楼梦》，以备船中翻阅。在分配舱位时，鲁迅忽发妙语说:“我睡上铺，谷清是被乌龟背过了的，我不愿和他同房。”于是他和舍侄住一间，我和谷清住一间。至于“乌龟背过”，乃系引用谷清的自述，说从前在北京时，曾到八大胡同妓院吃花酒，打茶围，忽遇骤雨，院中积水，无法出门了，由妓院男子背负涉水而出。鲁迅偶然想起提出，也是一种机智，令人发笑。

到京后，同住山会邑馆，其时已改为绍兴会馆，先兄铭伯先生原居在此——嘉荫堂，现在我们兄弟二人同住，舍侄住对面的绿竹舫，鲁迅住藤花馆。先兄和鲁迅一见如故，谈话很投机，此后过从也很密。鲁迅看见先兄的书桌上，放置着《越中先贤祠目序例》多册，便索取了一册去，这是到京馆第一天的印象。

《越中先贤祠目序例》，会稽李慈铭编撰。祠目以西汉的西域都护郑吉为首，直至清代为止，自言选择审慎，惟其擯斥王充，见解殊嫌迂陋。祠屋门口的楹联，也是慈铭所撰，征引乡邦文献，自铸伟辞，可见工力。现在钞录于下：

溯君子六千人，自教演富中，醪水脂舟，

> 魁奇代育，有谢氏传，贺氏赞，虞公典录，钟离后贤，暨孙问王赋以来，接迹至熙朝，东箭南璆，三管豪耑长五色。
>
> 表镇山一十道，更瑞图王会，篑金齑玉，钟毓尤灵，况浙名江，镜名湖，宛委洞天，桐柏仙室，应婺宿斗维而起，翘英遍京国，殊科合辙，一堂辇下共千秋。

鲁迅籍隶会稽，对于乡邦文献，也是很留意的。李周二人，后先辉映，实为吾越之光。鲁迅撰集先贤的逸文，足供后人瞻仰景行，所刊的《会稽郡故书杂集》，便是一个例子。其序文有曰：

> ……是故序述名德，著其贤能，记注陵泉，传其典实，使后人穆然有思古之情，古作者之用心至矣！其所造述虽多散亡，而逸文尚可考见一二。存而录之，或差胜于泯绝云尔。因复撰次写定，计有八种。诸书众说，时足参证本文，亦各最录，以资省览。书中贤俊之名，言行之

迹，风土之美，多有方志所遗，舍此更不可见。用遗邦人，庶几供其景行，不忘于故。……

文中所谓八类，是谢承的《会稽先贤传》，虞预的《会稽典录》，钟离岫的《会稽后贤传记》，贺氏的《会稽先贤像赞》，朱育的《会稽土地记》，贺循的《会稽记》，孔灵符的《会稽记》，夏侯曾先的《会稽地志》。这部《会稽郡故书杂集》，民国三年用周作人的名刊行，即此就可以见得鲁迅的牺牲精神，而以名利让给其弟。

一一　提倡美术

教育总长蔡孑民先生就职以后，即竭力提倡“以美育代宗教”，因为美感是普遍性，可以破人我彼此的偏见；美感是超越性，可以破生死利害的顾忌，在教育上应特别注重。在政务百忙之中，自撰《对于教育方针之意见》，说：“教育界所提倡之军国民主义及实利主义，固为救时之必要，而不可不以公民道德为中坚；欲养成公民道德，不可不使有一种哲学上之世界观与人生观，而涵养此等观念，不可不注重美育。”又说：“美育为美感之教育。美感者，合美丽与尊严而言之，介乎现象世界与实体世界之间而为津梁。……在现象世界，凡人皆有爱恶惊惧喜怒哀乐之情，随离合生死祸福利害之现象而流转。至美术则以此等现象为资料，而能使对之者自美感以外，一无杂念。例如……火山赤舌，大风破舟，可骇可怖之景也，而一入图书则转堪展玩。”

这种教育方针，当时能够体会者还很寥寥，惟鲁迅深知其原意；蔡先生也知道鲁迅研究美学和美育，富有心得，所以请他担任社会教育司第一科科长，主管图书馆博物馆美术馆等事宜。因之鲁迅在民元教育部暑期演讲会，曾演讲美术，深入浅出，要言不烦，恰到好处，这是他演讲的特色。他并且写出一篇简短的文言文，登载在教育部民元出版的一种汇报。这汇报只出了两册，便中止了。我近年来遍搜未得，耿耿于心——一九二七年编印的《鲁迅全集》内未经收入。记得鲁迅这篇文章之中，说到刻玉为楮叶，可以乱真，桃核雕文章，可逾千字，巧则巧矣，不得谓之美术。深愿在最近的将来，这两册汇报，能够觅到，也是搜逸补遗的一种工作。

鲁迅的爱好艺术，自幼已然，爱看戏，爱描画，中年则研究汉代画像，晚年则提倡版画，工作的范围很广，约略言之：（一）搜集并研究汉魏六朝石刻，不但注意其文字，而且研究其画像和图案，是旧时代的考据家赏鉴家所未曾着手的。他曾经告诉我：汉画像的图案，美妙无伦，为日本艺术家所采取。即使是一鳞一爪，已被西洋名家交口赞许，说日本的图案如何了不得，了不得，而不知其渊源固出于我国的汉画呢。（二）搜集并印行近代木刻，如《北平笺谱》等。（三）奖掖中国青年木刻家，不但创办木刻讲习会，自己担任口译，使他们得以学习；创开各国名画展览会，使他们有所观摩；对于本国新进者的作品，鼓舞批评，不加客气。（四）介绍外国进步作家的版画，例如精印《凯绥·珂勒惠支版画选集》，这位有丈夫气概的女子作品实在伟大，这本精印的选集实可宝贵，"只要一翻这集子，就知道她以深广的慈母之爱，为一切被侮辱和损害者悲哀，抗议，愤怒，斗争；所取的题材大抵是困苦，饥饿，流离，疾病，死亡，然而也有呼号，挣扎，联合和奋起……"（《且介亭杂文末编·〈凯绥·珂勒惠支版画选集〉序目》)。说到这本选集，永远引起我的悲痛，记得一九二五年七月底，我从嘉兴回北平，道经上海，往访鲁迅，盘桓了一日。这时候，他大病初愈，选集初初印得，装订成册的还只有几本，他便挑选了一本赠我，亲手题几行小启，曰："印造此书，自去年至今年，自病前到病后，手自经营，才得成就，持赠季茀一册，以为纪念耳。"晚九时后，我将去上沪平夜车了，手执这本巨大宝贵的书，握手告别，又喜悦，又惆怅。景宋为我叫汽车，鲁迅送我到门口，还问我几时回南，那里知道这便是永诀呢！痛哉！

一二　整理古籍和古碑

自民二以后，我常常见鲁迅伏案校书，单是一部《嵇康集》，不知道校过多少遍，参照诸本，不厌精详，所以成为校勘最善之书。其序文有云："……今此校定，则排摈旧校，力存原文。其为浓墨所灭，不得已而从改本者，则曰：字从旧校，以著可疑。义得两通，而旧校辄改从刻本者，则曰：各本作某，以存其异……"并作《逸文考》，《著录考》各一卷附于末尾，便可窥见他的工夫的邃密。

老实说，鲁迅对于汉魏文章，素所爱诵，尤其称许孔融和嵇康的文章，我们读《魏晋风度及文章与药及酒之关系》(《而已集》)，便可得其梗概。为什么这样称许呢？就因为鲁迅的性质，严气正性，宁愿覆折，憎恶权势，视若蔑如，皓皓焉坚贞如白玉，懔懔焉劲烈如秋霜，很有一部分和孔嵇二人相类似的缘故。

此外，鲁迅辑录《谢承后汉书》，尚未印行。《会稽郡故书杂集》已说在前。又，搜辑并考证历代小说史料，计有《古小说钩沉》，《唐宋传奇集》，《小说旧闻钞》三部，是他的《中国小说史略》的副册。搜罗的勤劬，考证的认真，允推独步。近年来研究小说者虽渐次加多了，宋以后的史料虽有新获了，但是搜辑古逸之功，还未见有能及鲁迅的呢。

至于鲁迅整理古碑，不但注意其文字，而且研究其图案，已略述于前章。即就碑文而言，也是考证精审，一无泛语，如《南齐吕超墓志跋》便是一例。这篇跋文，全集中未经收入——其实，鲁迅的汉魏六朝石刻研究，书未完成，故不付印。我知道吕超墓志石出土以后，经年即为舍亲顾鼎梅所得，藏在杭州，舍亲范鼎卿及鲁迅均有跋文，考证详明，两人不谋而合。鼎梅曾将这两篇跋文付石印，因即驰书商索，承其寄示，不禁狂喜。志文十五行，每行十九字，可释者仅仅百余字。现在先钞可释之字，后录鲁迅所撰全文如下：

□□墓志

故龙□将军隋郡王国中军吕府君讳超□□□
□东平人也胄兴自姜奄有营北飞芳□□□□
□□□□□因官即邦今居会稽山阴县□□□
□□□□□□令誉早宣故孝弟出于天性□□
□□□□□□风猷日新而修尌有期春□□□
□□□□□岁在已巳夏五月廿三日□□□□
□□□□□一年冬十一月丙□□□□□□□
□□□□□同录中军将军刘□□□□□□□
□□□□金石□志风烈者□□□□□□□□
□□蔼蔼清猷白云排岫出□□□□□□□□
□□嘉□知□应我□□□□□□□□□□□
□□□□其□春□□□□□□□□□□□□
□□□□□□□□□□□□□□□□□□□
□□□□夕悄松□□□□□□□□□□□□

鲁迅跋文

吕超墓志石，于民国六年出山阴兰上乡。余从陈君古遗得打本一枚，以漫漶难读，久置箧中。明年徐巳瑟先生至京师，又与一本。因得校写，其文仅存百十余字，国号年号俱泐，无可冯证。惟据郡名及岁名考之，疑是南齐永明中刻也。按随国，晋武帝分义阳立，宋齐为郡，隋为县。此云隋郡，当在隋前。南朝诸王分封于随者，惟宋齐有之。此云隋郡王国，则又当在梁陈以前。《通鉴目录》，宋文帝元嘉六年，齐武帝永明七年，并太岁在己巳。《宋书·文帝纪》，元嘉二十六年冬十月，广陵王诞改封隋郡王。又《顺帝纪》，升明二年十二月，改封南阳王翙为随郡王，改随阳郡，其时皆在己巳后。《南齐书·武帝纪》，建元四年六月，进封枝江公子隆为随郡王。子隆本传云，永明三年为辅国将军，南琅琊彭城二郡太守，明年迁江州刺史，未拜，唐寓之贼平，迁为持节，督会稽东阳新安临海永嘉五郡，东中郎将，会稽太守。《祥瑞志》云，永明五年，山阴孔广家园柽树十二层，会稽太守随王子隆献之，与传合。子隆尝守会稽，则其封国之中军，因官而居山阴，正事理所有。故此己巳者，当为永明七年。

五月廿三为卒日。□一年者,十一年。《通鉴目录》,永明十一年十月戊寅,十二月丁丑朔,则十一月为戊申朔,丙寅为十九日,其卄日也。和帝为皇子时,亦封随郡王,于时不合。唐开元十八年己巳,二十一年十一月丙寅朔,与志中之□一年冬十一月丙寅颇近,然官号郡名,无不格迕,若为迁窆,则年代相去又过远,殆亦非矣。永明中,为中军将军见于纪传者,南郡王长懋,王敬则,阴智伯,庐陵王子卿。此云刘□,泐其名,无可考。□志风烈者云以下无字。次为铭辞,有字可见者四行,其后余石尚小半。六朝志例,铭大抵不溢于志,或当记妻息名字,今亦俱泐。志书随为隋,罗泌云,随文帝恶随从辵改之。王伯厚亦讥帝不学。后之学者,或以为初无定制,或以为音同可通用,至征委蛇委随作证。今此石远在前,已如此作,知非随文所改。《隶释·张平子碑颂》,有"在珠咏隋,于璧称和"语。隋字收在刘球《隶韵》正无辵,则晋世已然。作随作隋作陏,止是省笔而已。东平本兖州所领郡,宋末没于魏,《南齐书·州郡志》，言永明七年，因光禄大夫吕安国启立于北兖州。启有云“臣贱族桑梓，愿立此邦”，则安国与超盖同族矣。与石同出埊中者，尚有瓦罂铜镜各一枚。镜有铭云:“郑氏作镜幽冻三商幽明镜”十一字，篆书，俱为谁何毁失。附识于此，使后有考焉。

以上是鲁迅跋文，考证工夫邃密如此！

范鼎卿跋文也很是详赡，以史志互证，确定吕超的时代及卒葬月份，和鲁迅所考全同。范跋有云:“文内有中军将军刘□□，其名已泐，当为撰志之人。今就精拓石本细审之，刘字下尚有玄字之笔道可辨。考《南齐书》有刘玄明者，临淮人，为山阴令，大著名绩，附《傅琰传》。《南史》载刘玄明为山阴令，政为天下第一，终于司农卿。盖吕超为山阴人，玄明曾宰是邑，与超有旧，故于葬时为之撰志，而其时玄明已任中军将军，未几殆即改官司农矣（中军将军与司农卿，官秩并为第三品）。夫吕超为故乡人物，而撰文者又属前代名宦，则此志之可贵为何如也。”

一三　看佛经

民三以后，鲁迅开始看佛经，用功很猛，别人赶不上。他买了《瑜伽师地论》，见我后来也买了，劝我说道："我们两人买经不必重复。"我赞成，从此以后就实行，例如他买了《翻译名义集》，我便不买它而买《阅藏知津》，少有再重复的了。他又对我说，"释伽牟尼真是大哲，我平常对人生有许多难以解决的问题，而他居然大部分早已明白启示了，真是大哲！"但是后来鲁迅说："佛教和孔教一样，都已经死亡，永不会复活了。"所以他对于佛经只当做人类思想发达的史料看，借以研究其人生观罢了。别人读佛经，容易趋于消极，而他独不然，始终是积极的。他的信仰是在科学，不是在宗教。

鲁迅最后给我的一封信，还说到佛教。我因为章先生逝世，写了一篇《纪念先师章太炎先生》，中间引用先生“以佛法救中国”之言。鲁迅看了，不以为然，写信告诉我，另外说到纪念先生的方法，特钞录于下：

季市兄：

得《新苗》，见兄所为文，甚以为佳，所未敢苟同者，惟在欲以佛法救中国耳。

从中更得读太炎先生狱中诗，卅年前事，如在眼前。因思王静安没后，尚有人印其手迹；今太炎先生诸诗及“速死”等，实为贵重文献，似应乘收藏者多在北平之便，汇印成册，以示天下，以遗将来。故宫博物馆（院）印刷局，以玻璃板印盈尺大幅，每百枚五元，然则五十幅一本，百本印价，不过二百五十元，再加纸费，总不至超出五百，向种种关系者募捐，当亦易集也。此事由兄发起为之，不知以为何如？

与革命历史有关之文字不多，则书简，文稿，册页，亦可收入，曾记有为兄作汉《郊祀歌》之篆书，以为绝妙也。倘进行，乞勿言由我提议，因旧日同学，多已崇贵，而我为流人，音问久绝，殊不欲以此溷诸公之意耳。

贱恙时作时止，毕究如何，殊不可测，只得听之。

专此布达，并请道安。

弟飞顿首

九月二十五日

这封信，在我所得鲁迅给我的诸信中，是最后的一封。九月二十五日，离他十月十九日去世，仅仅二十四天。我知道鲁迅的那篇《关于太炎先生二三事》，是看了我的这篇纪念文才作的。因为我文中引用了先生的狱中诗，鲁迅跟着也引用，故有“卅年前事，如在眼前”的话。这《狱中诗》四首，本系先生在狱中写寄蒋观云的。我由观云处索得，登入《浙江潮》，手迹则由我收藏，弥足宝贵，所以在鲁迅信中有“汇印成册”的提议。

鲁迅读佛经，当然是受章先生的影响。先生在西狱三年，备受狱卒的陵暴。邹容不堪其虐，因而病死。先生于做苦工之外，朝夕必研诵《瑜伽师地论》，悟到大乘法义，才能克服苦难，期满出狱后，鼓动革命的大业。

先生和鲁迅师弟二人，对于佛教的思想，归结是不同的：先生主张以佛法救中国，鲁迅则以战斗精神的新文艺救中国。

一四　笔名鲁迅

我自民六秋，于役南昌，和鲁迅别开三年。在这中间，鲁迅的生活起了大变化，前后可以划分为两段：前者是摩挲古碑，后者是发表创作。这个变化即发表创作，是《呐喊》序文所谓“老朋友金心异”——按即玄同——的催促怂恿与有力的。创作的开始在民七四月，发表在同年五月号的《新青年》，正是“五四运动”的前一年。其第一篇《狂人日记》(《呐喊》)，是借了精神迫害狂者来猛烈地抨击过去传统和礼教的弊害，开始用“鲁迅”作笔名。我说过：“这是鲁迅生活上的一个大发展，也是中国文学史上应该大书特书的一章。因为从此，文学革命才有了永不磨灭的伟绩，国语文学才有了不朽的划时代的杰作，而且使他成为我们中国思想界的先知，民族解放上最勇敢的战士。”我当时在南昌，读到这篇《狂人日记》，所说他和人们没有什么仇，“只有廿年以前，把古久先生的陈年流水簿子踹了一脚，古久先生很不高兴。”又说，“没有吃过人的孩子，或者还有？救救孩子……”说穿了吃人的历史，于绝望中寓着希望，我大为感动。

觉得这很像周豫才的手笔，而署名却是姓鲁，天下岂有第二个豫才乎？于是写信去问他，果然回信来说确是“拙作”，而且那同一册里有署名“唐俟”的新诗也是他做的。到了九年的年底，我们见面谈到这事，他说：“因为新青年编辑者不愿意有别号一般的署名，我从前用过迅行的别号是你所知道的，所以临时命名如此：理由是（一）母亲姓鲁，（二）周鲁是同姓之国，（三）取愚鲁而迅速之意。”“至于唐俟呢？”他答道：“哦！因为陈师曾（衡恪）那时送我一方石章，并问刻作何字，我想了一想，对他说，你叫做槐堂，我就叫俟堂罢。”我听到这里，就明白了这“俟”字的涵义，那时部里的长官某颇想挤掉鲁迅，他就安静地等着，所谓“君子居易以俟命”也。把“俟堂”两个字颠倒过来，堂和唐这两个字同声可以互易，于是成名曰“唐俟”。周，鲁，唐又都是同姓之国也。可见他无论何时没有忘记破坏偶像的意思。（拙著《鲁迅的生活》）

这样用母姓的事，以后就很多。不是蔡孑民先生晚年署名曰“周子余”吗？有一个蔡先生的熟人，不明这个底细，便向蔡先生开玩笑，说：“你现在也姓了周吗？哈哈。”因为他只知道蔡夫人是姓周，而不知其母夫人姓什么。蔡先生乃正色答道：“这因为先母姓周……”那位熟人听了，立刻肃然道歉而退。

因为“鲁迅”只是笔名，所以鲁迅不愿意别人把鲁迅上面再冠一个周字的。而且他自己的署名总是仍用“树人”，凡有给我的信署名都是如此，但是自从十九年三月以后，则不得已而用种种化名，如“索士”，“树”，“迅”，“飞”……这是为免除收信者横受嫌疑计，用意是很周到的。

说到鲁迅笔名，我还记起一件小小的故事：十八年夏，鲁迅至北平省亲回来，对我说："我为了要看旧小说，至孔德学校访隅卿，玄同忽然进来，唠叨如故，看见桌子上放着一张我的名片，便高声说：'你的名字还是三个字吗？'我便简截地答道：'我的名片从来不用两个字，或四个字的。'他大概觉得话不投机，便出去了……"所谓用两个字或四个字，乃是微微刺着玄同的名片，时而作"钱夏"，时而作"玄同"，时而作"疑古玄同"。《两地书（一二六）》有云："涂次往孔德学校，去看旧书，遇金立因，胖滑有加，唠叨如故，时光可惜，默不与谈……"便是指玄同而言。直到鲁迅去世了，玄同作文追悼，还提及这件小小的故事呢。

一五　杂谈著作

据我所知，鲁迅的著作有好多篇是未完成的。他对我说过，想要做一部《中国字体发达史》，在开始说明字的起原，就感觉得资料不足。甲骨文中所见的象形，“都已经很进步了，几乎找不出一个原始形态。只在铜器上，有时还可以看见一点写实的图形，如鹿，如象，而从这图形上，又能发见和文字相关的线索！中国文字的基础是‘象形’”。我答道诚然，像西班牙亚勒泰米拉（Altamira）洞里的野牛形，在中国的实物上似乎还没有找到。他这部字体发达史，终于没有写出，只在《门外文谈》（《且介亭杂文》）中略现端倪。用“门外”二字作题目，虽说是由于门外乘凉的漫谈，但其实也含着自谦的美意啊。

鲁迅想要做《中国文学史》分章是（一）从文字到文章，（二）诗无邪（《诗经》），（三）诸子，（四）从《离骚》到《反离骚》，（五）酒，药，女，佛（六朝），（六）廊庙和山林。其大意也曾片段地对我说过。关于诸子者，他说杨子为我，只取他自己明白，当然不会著书；墨子兼爱，必使人人共喻，故其文词丁宁反复；老子的“无为而无不为”，总嫌其太阴柔；庄子的文词深闳放肆，则入于虚无了。关于《反离骚》者，以为扬雄摭《离骚》而反之，只是文求古奥，使人难懂，所谓“昔仲尼之去鲁兮，斐斐迟迟而周迈，终回复于旧都兮，何必湘渊与涛濑”。但假使竟没有可以回复之处，那将如何呢？《离骚》而至于《反离骚》，《恨赋》而至于《反恨赋》，还有甚么意思呢？关于酒和药者，他常常和我讨论，说魏晋人的吃药和嗜酒，大抵别有作用的，他们表面上是破坏礼教，其实是拥护礼教的迂夫子。他那篇《魏晋风度及文章与药及酒之关系》（《而已集》），便是这部文学史的一部分。至于全集所载的《汉文学史纲要》乃是用作讲义，很简单的。

有人说鲁迅没有做长篇小说是件憾事，其实他是有三篇腹稿的，其中一篇曰《杨贵妃》。他对于唐明皇和杨贵妃的性格，对于盛唐的时代背景，地理，人体，宫室，服饰，饮食，乐器以及其他用具……统统考证研究得很详细，所以能够原原本本地指出坊间出版的《长恨歌画意》的内容的错误。他的写法，曾经对我说过，系起于明皇被刺的一刹那间，从此倒回上去，把他的生平一幕一幕似的映出来。他看穿明皇和贵妃两人间的爱情早就衰歇了，不然何以会有“七月七日长生殿”，两人密誓愿世世为夫妇的情形呢？在爱情浓烈的时候，那里会想到来世呢？他的知人论世，总是比别人深刻一层。

鲁迅对我说：“胡适之有考证癖，时有善言，但是对于《西游记》，却考证不出甚么。”我问孙悟空的来历是否出于印度的传说，他答道亦有可能，但在唐人传奇中，已可寻出其出处。李公佐的《古岳渎经》所谓禹“获淮涡水神名‘无支祁’，善应对言语，辨江淮之浅深，原隰之远近。形若猿猴，缩鼻高额，青躯白首，金目雪牙，颈伸百尺，力逾九象，搏击腾踔疾奔，轻利倏忽，闻视不可久”即是。这件禹伏无支祁的故事，历经演化，宋时又传为僧伽降水母，又得吴承恩的描写，遂成为神通广大的孙悟空了。

鲁迅编《莽原》杂志和《国民新报副刊》时，曾经几度怂恿我去投稿，劝我多写杂文，不要矜持，但是我因行文拙钝，只投过几篇《论面子》，《论翻译之难》……而已。鲁迅则行文敏捷，可是上述的好多篇腹稿和未成稿，终于没有写出，赍志以殁了。其原因：(一)没有余暇。因为环境的艰困，社会政治的不良，自己为生活而奋斗以外，还要帮人家的忙，替别人编稿子，改稿子，介绍稿子，校对稿子，一天忙个不了。他从此发明了一种战斗文体——短评，短小精悍，有如匕首，攻击现实，篇篇是诗，越来越有光彩，共计有十余册之外，再没有工夫来写长篇了，真是生在这个时代这个地方所无可奈何的！（二）没有助手，他全集二十大册，约六百万言，原稿都是用毛笔清清楚楚地手写的。此外，日记和书简，分量也很可观。浅见者说鲁迅的创作只有七大册，翻译多于创作，似乎还比不上外国文豪们的著作等身；殊不知照一个人的精力，时间和事务比例起来，是做不了这许多的。他们誊稿和写信，或许有书记助手可以代劳，但是鲁迅只有他自己一个人。

鲁迅的著作，国际间早已闻名了。记得一九二五年，他做了《自传》和俄文译本《阿Q正传》序，属我代写一份，因为译者王希礼要把它影印出来，登在译本的卷头。他曾告诉我："瑞典人S托人来征询我的作品，要送给"管理诺贝尔文学奖金委员会"，S以为极有希望的，但是我辞谢了。我觉得中国实在还没有可得诺贝尔奖金的人，倘因为我是黄色人种，特别优待，从宽入选，反足以增长中国人的虚荣心，以为真可与别国媲美了，结果将很糟。……"这是何等谦光，又是何等远见！他又告诉我："罗曼·罗兰读到敬隐渔的法译《阿Q正传》说道，这部讽刺的写实作品是世界的，法国大革命时也有过阿Q，我永远忘记不了阿Q那副苦恼的面孔。因之罗氏写了一封给我的信托创造社转致，而我并没收到。因为那时创造社对我笔战方酣，任意攻击，便把这封信抹煞了。……"鲁迅说罢一笑，我听了为之怃然。

一六　杂谈翻译

鲁迅自从办杂志《新生》的计划失败以后，不得已而努力译书，和其弟作人开始介绍欧洲新文艺，刊行《域外小说集》，相信这也可以转移性情，改造社会的。他们所译偏于东欧和北欧的文学，尤其是弱小民族的作品，因为它们富于挣扎、反抗、怒吼的精神。鲁迅所译安特来夫的《默》和《谩》，迦尔洵的《四日》，我曾将德文译本对照读过，觉得字字忠实，丝毫不苟，无任意增删之弊，实为译界开辟一个新时代的纪念碑，使我非常兴奋。其《序言》所云“第收录至审慎，迻译亦期勿失文情，异域文术新宗，自此始入华土”，这实在是诚信不欺之言。第一册出版以后，我承惠赠了好几册，但我还特地到东京寄售处购买一册，并且时时去察看，为的怕那里有不遵定价，额外需索的情形，所以亲去经验，居然画一不二，也就放心了，不过销路并不好，因为那时的读者，对于这样短篇新品，还缺少欣赏的能力和习惯。我那时正有回国之行，所以交给上海寄售处的书，就由我带去的。

鲁迅译厨川白村的《苦闷的象征》时，曾对我说：“这是一部有独创力的文学论，既异于科学家似的玄虚，而且也并无一般文学论者的繁碎。作者在去年大地震里遭难了。我现在用直译法把它译出来。”我照例将原文对照一读，觉得鲁迅的直译工夫较前更进步了。虽说是直译的，却仍然极其条畅，真非大手笔不办。他深叹中国文法的简单，一个“的”字的用处，日本文有“ノ”，“处”，“的”等等，而中国文只有一个“的”字。于是创造出分别来：“其中尤须声明的，是几处不用‘的’字，而特用‘底’字的缘故。即凡形容词与名词相连成一名词者，其间用‘底’字，例如 Social being 为社会底存在物，Psychische Trauma 为精神底伤害等；又形容词之由别种品词转来，语尾有 -tive，tic 之类者，于下也用‘底’字，例如 Speculative，romantic，就写为思索底，罗曼底。”本书中所引英诗的翻译，我曾效微劳，他在《引言》中还特别提到。

鲁迅译《小约翰》也是一部力作。本书的著者荷兰望·藹覃（全集卷十四，题下，荷兰误作德国，全集卷一总目内没有错），本来是研究医学，具有广博的知识，青年著作家的精神的领袖，鲁迅的学力很有些和他相似，所以生平爱读这部象征写实的童话诗，有意把它译成中文，发愿很早，还在留学时代，而译成则在二十年以后。初稿系在北平中央公园的一间小屋内，和吾友齐寿山二人挥汗而作，整理则在翌年广州白云楼，那时我和他同住，目睹其在骄阳满室的壁下，伏案工作，手不停挥，真是矻矻孜孜，夜以继日，单是关于动植物的译名，就使他感到不少的困难，遍问朋友，化去很多的精力和时间，他书后附有《动植物译名小记》，可供参考。至于物名的翻译，则更难，因为它是象征，不便译音，必须意译，和文字的务欲近于直译已大相反。小鬼头 Wistik 之译作“将知”,科学研究的冷酷的精灵 Pleuzer 之作“穿凿”，小姑娘 Robinetta 之作“荣儿”都是几经斟酌才决定的。

至于鲁迅译果戈里的《死魂灵》，更是一件艰苦的奇功，不朽的绝笔，他受果戈里的影响最深，不是他的

第一篇创作《狂人日记》，就和八十多年前，果戈里所写的篇名完全相同吗？“但后起的《狂人日记》意在暴露家族制度和礼教的弊害，却比果戈里的忧愤深广……”当鲁迅卧病的时候，我去访问，谈到这部译本，他告诉我：“这番真弄得头昏眼花，筋疲力尽了。我一向以为译书比创作容易，至少可以无须构想，那里知道是难关重重！……”说着还在面孔上现出苦味。他在《“题未定”草（一）》有云：

……于是“苦”字上头。仔细一读，不错，写法的确不过平铺直叙，但到处是刺，有的明白，有的却隐藏，要感得到；虽然重译，也得竭力保存它的锋头。里面确没有电灯和汽车，然而十九世纪上半期的菜单，赌具，服装，也都是陌生家伙。这就势必至于字典不离手，冷汗不离身，一面也自然只好怪自己语学程度的不够格。

又在同题（二）有云：

动笔之前，就先得解决一个问题：竭力使它归化，还是尽量保存洋气呢？日本文的译者上田进君，是主张用前一法的。他以为讽刺作品的翻译，第一当求其易懂，愈易懂，效力也愈广大。所以他的译文，有时就化一句为数句，很近于解释。我的意见却两样的。只求易懂，不如创作，或者改作，将事改为中国事，人也化为中国人。如果还是翻译，那么，首先的目的，就在博览外国的作品，不但移情，也要益智，至少是知道何地何时，有这等事，和旅行外国，是很相像的！它必须有异国情调，就是所谓洋气。其实世界上也不会有完全归化的译文。倘有，就是貌合神离，从严辨别起来，它算不得翻译。凡是翻译，必须兼顾着两面，一当然力求其易解，一则保存着原作的丰姿，但这保存，却又常常和易懂相矛盾？看不惯了。不过它原是洋鬼子，当然谁也看不惯，为比较的顺眼起见，只能改换他的衣裳，却不该削低他的鼻子，剜掉他的眼睛。我是不主张削鼻剜眼的，所以

有些地方，仍然宁可译得不顺口。……（《且介亭杂文二集·“题未定”草》）

总之，鲁迅对于翻译的理论及其实际，都是成功的，开辟了大道，培养的沃壤，使中国的新文艺得以着着上进，欣欣向荣。

一七　西三条胡同住屋

鲁迅爱住北平，但是他的西三条胡同住屋，是出于不得已而经营的。他原来在一九一九年把绍兴东昌坊口的老屋和同住的本家公同售去以后，就在北平购得公用库八道湾大宅一所，特地回南去迎接母太夫人及全眷来住入，这宅子不但房间多，而且空地极大。鲁迅对我说过："我取其空地很宽大，宜于儿童的游玩。"我答："诚然，简直可以开运动会。"鲁迅那时并无子息，而其两弟作人和建人都有子女，他钟爱侄儿们，视同自己的所出，处处实行他的儿童本位的教育，《我们现在怎样做父亲》文中所云（全集卷一《坟》），"只能先从觉醒的人开手，各自解放了自己的孩子。自己背着因袭的重担，肩住了黑暗的闸门，放他们到宽阔光明的地方去……"这便是他的儿童教育的意见。他对于侄儿们的希望很大，很想为他们创造出一个最适宜于发育的环境，所谓“这正如地上的路，其实地上本没有路；走的人多了，也便成了路”（《呐喊·故乡》）。

鲁迅对于两弟非常友爱，因为居长，所有家务统由他自己一人主持，不忍去麻烦两弟。他对于作人的事，比自己的还要重要，不惜牺牲自己的名利统统来让给他，我在拙著《关于〈弟兄〉》一文已经提及。一九一七年，他和作人还同住在绍兴会馆的时候，北平正流行着传染病猩红热，作人忽然发高热了。这可真急坏了鲁迅，愁眉不展，四处借钱，为的要延医买药。后经德国医师狄普耳诊断，才知道不过是出疹子，于是他第二天到部，精神焕然地笑着对我说：“起孟原来这么大了，竟还没有出过疹子，倘若母亲在此，不会使我这样着急了。”接着又述昨夜医师到来的迟缓，和他诊断病情的敏捷，但是我看见他的眼眶陷下，还没有恢复呢！又记得一九二一年，作人养病在香山碧云寺，因为费用浩大，鲁迅又四处奔走，借贷应急，并且时常前往护视。

作人的妻羽太信子是有歇斯台里性的。她对于鲁迅，外貌恭顺，内怀忮忌。作人则心地糊涂，轻听妇人之言，不加体察。我虽竭力解释开导，竟无效果。致鲁迅不得已移居外客厅而他总不觉悟，鲁迅遣工役传言来谈，他又不出来，于是鲁迅又搬出而至砖塔胡同了。从此两人不和，成为参商，一变从前“兄弟怡怡”的情态。这是作人一生的大损失，倘使无此错误，始终得到慈兄的指导，何至于后来陷入迷途，洗也洗不清呢？

鲁迅搬出以后，就借钱购得西三条的房子，是一所小小的三开间的四合式。北屋的东间是母太夫人的房，西间是朱夫人的房。太夫人谈锋极健，思想有条理，曾用自修得到能够看书的学力。朱夫人是旧式的女子，结婚系出于太夫人的主张，因而“瑟琴异趣”，鲁迅曾对我说过：“这是母亲给我的一件礼物，我只能好好地供养它，爱情是我所不知道的。”北屋的中间，后面接出一间房子去，鲁迅称它为“老虎尾巴”，乃是他的工作室，《彷徨》的全部以及其他许多的译著，皆写成于此。这老虎尾巴将永久成为我国国民的纪念室。它的北窗用玻璃，光线充足，望后园墙外，即见《野草》第一篇《秋夜》所谓“在我的后园，可以看见墙外有两株树，一株是枣树，还有一株也是枣树”。

南屋是他的藏书室。说起他的藏书室，我还记得作人和信子抗拒的一幕。这所小屋既成以后，他就独自个回到八道湾大宅取书籍去了。据说作人和信子大起恐慌，信子急忙打电话，唤救兵，欲假借外力以抗拒，作人则用一本书远远地掷入，鲁迅置之不理，专心检书，一忽儿外宾来了，正欲开口说话，鲁迅从容辞却，说这是家里的事，无烦外宾费心。到者也无话可说，只好退了。这在取回书籍的翌日，鲁迅说给我听的。我问他："你的书全部都已取出了吗？"他答道："未必。"我问他我所赠的《越缦堂日记》拿出了吗？他答道："不，被没收了。"

鲁迅毕竟是伟大的，他受了种种的诬蔑委屈，搬出了八道湾住宅，又生了一场病，对于作人和信子的事，日记上却一字不提，这是我在他死后数个月，为的要赶撰年谱，翻阅他的日记才知道的。

一八　女师大风潮

一九二五年春间，北京女子师范大学有反对校长杨荫榆事件，杨校长便不到校，后来任意将学生自治会职员六人除名，并且引警察及打手蜂拥入校，学生们不服。迨教育总长章士钊复出，遂有非法解散学校的事，并且命司长刘百昭，雇用流氓女丐殴曳学生们出校。女师大的许多教职员，本极以章杨二人的措置为非，复痛学生的无端失学，遂有校务维持会的组织。鲁迅本是女师大的讲师，所以成为该会的委员之一，而章士钊视作眼中钉，竟倒填日子，将他的教育部佥事职违法免去了。

我因为和杨荫榆校长是前后任的关系，对于这次风潮，先是取旁观态度，绝不愿意与闻的，待到章士钊无端把鲁迅免职，我不能熟视无睹了，既恶其倒填日子，暗暗免部员之职，又恶其解散学校呈文中，叠用轻薄字句来诬蔑女性，才和齐寿山（教育部视学）二人发表宣言，指斥其非，并且正式送给他一张以观其变，于是他也把我们二人免职了。宣言全文如下：

反对教育总长章士钊之宣言

署教育总长章士钊本一轻薄小才，江湖游士，偶会机缘，得跻上位，于是顿忘本来，恣为夸言，自诩不羁，盛称饱学，第以仅有患得患失之心，遂辄现狐埋狐搰之态。自五七风潮之后，即阳言辞职，足迹不见于官署者数月，而又阴持部务，画诺私家，潜构密谋，毁灭学校，与前女子师范大学校长杨荫榆相联结，驯致八月一日以武装警察解散该女子师范大学之变。案学生所陈，仅在恳请当局，撤换校长，冀学业稍有进步而已。倘使处以公心，本不致酿成事故，而章士钊与杨荫榆朋比固位，利己营私，必便成解散之局，于停办该大学呈文中，尚觍然自饰，谓先未实行负责，后令妥善办理，且叠用佻达字句，诬蔑女性，与外间匪人所造作之谣诼相应和，而于滥用警士，殴击学生等激变之故，则一字不提，是不特蔽亏国人视听之明，实大淆天下是非之辨。近复加厉，暴行及于部中，本月十三日突将佥事周树人免职，事前既未使次长司长闻知，后又不将呈文正式宣布，秘密行事，如纵横家，群情骇然，以为妖异。周君自民国元年由南京政府北来供职，十有四年，谨慎将事，百无旷废，徒以又为该大学兼任教员，于学校内情，知之较审，曾与其他教员发表宣言，声明杨荫榆开除学生之谬。而章杨相比，亦撄彼怒，遂假威权，泄其私愤，昔者以杨荫榆之党己也，不惜解散学校荒数百人之学业以徇之，今以周君之异己也，又不惜秘密发纵以除去之。视部员如家奴，以私意为进退，虽在专制时代，黑暗当不至是；此其毁坏法律，率意妄行，即世之至无忌惮者亦不能加于此矣。最近则又称改办女子大学，即以嗾警毁校自夸善打之刘百昭为筹备处长，以掩人耳目，举蹂躏学校之人，任筹备学校之重，虽曰报功，宁非儿戏。旋又率警围校，且雇百余无赖女流，闯入宿舍，殴逐女生，惨酷备至，哭声盈于道途，路人见而太息，以为将不敢有子女入此虎狼之窟者矣。况大队警察，用之不已，是直以枪剑为身教之资，隶教部于警署之下，自开国以来，盖未见有教育当局而下劣荒谬暴戾恣睢至于此极者也。寿裳等自民元到部，迄于今兹，分外之事，未尝论及。今则道揆沦丧，政令倒行，虽在部中，义难合作，自此章士钊一日不去，即一日不到部，以明素心而彰公道。谨此宣言。

我们对于章士钊的这些举动，认为无理可喻，故意不辞职，而等他来免职，也不愿向段祺瑞政府说理，所以发布这个宣言。鲁迅对于章士钊，也视若无物，后来之所以在平政院提起诉讼，还是受了朋友们的怂恿而才做的，结果是得到胜诉。

女师大被非法解散以后，便在宗帽胡同自赁校舍，重新开学，教员们全体义务授课，我也是其中之一，师生们共同克苦支持。如是者三月，女师大就复校了。章士钊解散学校之外，还有那些主张读经，反对白话等等玩意儿，鲁迅都一一辞而辟之。关于他的排斥白话，我和鲁迅都笑他日暮途穷，所做的文言文并不高明，连庄子中“每下愈况”的成语（况，甚也），都用不清楚；单就他那《停办北京女子师范大学呈文》中所云“钊念儿女乃家家所有，良用痛心，为政而人人悦之，亦无是理”这几句骈文，也比不上何栻《齐姜醉遣晋公子赋》的“公子固翩翩绝世，未免有情，少年而碌碌因人，安能成事”。这些谈资都为鲁迅所采用，文见《华盖集·答SK君》。至于章士钊的主张读经，也是别有用意，明知道读经是不足以救国的，不过要耍把戏，将人们看做笨牛罢了。鲁迅有一文《十四年的“读经”》(《华盖集》)，揭发得很透彻，摘录一二段如下：

……我看不见读经之徒的良心怎样，但我觉得他们大抵是聪明人，而这聪明，就是从读经和古文得来的。我们这曾经文明过而后来奉迎过蒙古人，满洲人大驾了的国度里，古书实在太多，倘不是笨牛，读一点就可以知道，怎样敷衍，偷生，献媚，弄权，自私，然而能够假借大义，窃取美名。再进一步，并可以悟出中国人是健忘的，无论怎样言行不符，名实不副，前后矛盾，撒谎造谣，蝇营狗苟，都不要紧，经过若干时候，自然被忘得干干净净；只要留下一点卫道模样的文字,将来仍不失为“正人君子”……

古国的灭亡，就因为大部分的组织被太多的古习惯教养得硬化了，不再能够转移，来适应新环境，若干分子又被太多的坏经验教养得聪明了，于是变性，知道在硬化的社会里，不妨妄行。单是妄行的是可与论议的，故意妄行的却无须再与谈理。……

一九 “三·一八”惨案

一九二六年三月十八日，北京发生最黑暗最凶残的事件：段祺瑞政府使卫兵用步枪大刀，在国务院门前包围虐杀了徒手请愿，意在援助外交的市民和学生，死伤至三百余人之多。还要下令，诬之曰“暴徒”！女师大学生当场遇害者二人：刘和珍和杨德群。受伤者六七人。这天下午我（二天以前才辞去教务长兼职）偶然跑到学校去看看，忽听得这个噩耗，并且遇着受伤同学的逃回，便立刻拉着新任教务长林语堂同车赶往国务院察看。到时，栅门已闭，尚留一条缝容许出入，只见尸体纵横枕藉，鲜血满地，是一个最阴惨的人间地狱！刘和珍的尸骸已经放入一具薄棺之中了。并排的还有好几具，都是女子的。刘和珍面目如生，额际尚有微温，我瞥见毛医师正在门外人群中，急忙请他进来诊视，那知道心脏早停，已经没有希望了。又听得还有许多许多的受伤者在医院里，赶紧往视，则待诊室内满是尸体，这些该是当初还没有死，抬到医院——或没有抬到，途中便已气绝了罢！杨德群的尸骸，放在一张板桌上，下半身拖落在旁。呜呼！惊心动魄，言语道断，我不忍再看了！我一向不赞成甚么请愿，绝对不参加甚么开会游行，然亦万料不到会有如此喋血京师的惨事！从这天起，我竟夜不成寐，眼睛一闭，这场地狱便出现，如是者继续至十余天才止，这是因时光的流驶才把苦痛和血痕渐渐冲淡了罢。鲁迅关于这事，有云："这不是一件事的结束，是一件事的开头。墨写的谎说，决掩不住血写的事实。血债必须用同物偿还。拖欠得愈久，就要付更大的利息！"又云："实弹打出来的却是青年的血。血不但不掩于墨写的谎语，不醉于墨写的挽歌；威力也压它不住，因为它已经骗不过，打不死了。"（《华盖集续编·无花的蔷薇之二》）

同书里，鲁迅又有一篇《纪念刘和珍君》，那是情文并茂，感人最烈的伟大的抒情文，现在摘录一二段如下：

真的猛士，敢于直面惨淡的人生，敢于正视淋漓的鲜血，这是怎样的哀痛者和幸福者？然而造化又常常为庸人设计，以时间的流驶，来洗涤旧迹，仅使留下淡红的血色和微漠的悲哀，在这淡红的血色和微漠的悲哀中，又给人暂得偷生，维持着这似人非人的世界。我不知道这样的世界何时得一个尽头！

……

我没有亲见；听说，她，刘和珍君，那时是忻然前往的。自然，请愿而已，稍有人心者，谁也不会料到有这样的罗网，但竟在执政府前中弹了，从背部入，斜穿心肺，已是致命的创伤，只是没有便死。同去的张静淑君，想扶起她，中了四弹，其一是手枪，立仆；同去的杨德群君又想去扶起她，也被击，弹从左肩入，穿胸偏右出，也立仆。但她还能坐起来，一个兵在她头部及胸部猛击两棍，于是死掉了。

……

我目睹中国女子的办事，是始于去年的，

虽然是少数，但看那干练坚决，百折不回的气概，曾经屡次为之感叹。至于这一回在弹雨中互相救助，虽殒身不恤的事实，则更足为中国女子的勇毅，虽遭阴谋秘计，压抑至数千年，而终于没有消亡的明证了。倘要寻求这一次死伤者对于将来的意义，意义就在此罢。

苟活者在淡红的血色中，会依稀看见微茫的希望；真的猛士，将更奋然而前行。(《华盖集续编》)

惨案发生以后，便有通缉五个所谓“暴徒首领”之令，接着又有要通缉五十人——其实名单上只四十八人——的传说，我和鲁迅均列名在内。鲁迅有一篇《大衍发微》(《而已集》附录)，把名单全部的籍贯职务调查得相当清楚，尤其把要捉的原因探究分析得很详细。齐寿山很为我们担忧，热心奔走，预先接洽了临时避居的地方，对我们说：“一有消息，就来报告，务必暂时离家。”果然，有一天下午，寿山来电话，说：“张作霖的前头部队已经到高桥了，请立刻和鲁迅避入D医院，一切向看护长接洽就得。”我就立刻去通知鲁迅，于是同时逃入了。

D医院中，一间破旧什物的堆积房是我和鲁迅及其他相识者十余人聚居之所，夜晚在水门汀地面上睡觉，白天用面包和罐头食品充饥。——也有人住六国饭店和法国医院的。我住了十天光景，便移居病室，医师来诊则告以无病，遂一笑而去。鲁迅亦然，但在这样流离颠沛之中，还是写作不止呢！

二〇　广州同住

同年八月底，鲁迅离开北京，至厦门大学教书去了。临行，我表示亦将离京谋事，托他随时为我留意，因为，我和他及寿山三人的教育部职务虽已恢复，总觉得鸡肋无味。他极以为然，所以对于我之所托，非常关心，视同己事，《两地书》中时时提到至十几次之多，如云："玉堂在此似乎也不大顺手，所以上遂的事竟无法开口。"（书四二）又云："上遂的事则至今尚无消息，不知何故。我同兼士曾合写一信，又托伏园面说，又写一信，都无回音，其实上遂的办事能力，比我高得多。"（书八一）又云："上遂南归，杳无消息，真是奇怪，所以他的事情也无从计划。"（书九六）到了十二月底，他知道了我的事容易设法，就接连的来信通知，现录一通如下：

季市兄：

昨寄一函，已达否？此间甚无聊，所谓国学院者，虚有其名，不求实际。而景宋故乡之大学，催我去甚亟。聘书且是正教授，似属望甚切，因此不能不勉力一行，现拟至迟于一月底前往，速则月初。伏园已去，但在彼不久住，仍须他往，昨得其来信，言兄教书事早说妥，所以未发聘书者，乃在专等我去之后，接洽一次也。现在因审慎，聘定之教员似尚甚少云。信到后请告我最便之通信处，来信寄此不妨，即我他去，亦有友人收转也。此布。

即颂

曼福。

树人上　十二月廿九日

鲁迅到广州中山大学后，就接连来信催我前往，略说兄之聘书已在我处，月薪若干，此间生活费月需约若干，所教功课，现尚无从说起，因为一切尚无头绪，总之此校的程度是并不高深的。开学是三月二日，但望兄见信即来，可以较为从容，谈谈。从沪开来之轮船如何如何。唐餐间胜于官舱，价约若干……他的指示很周到，使我感激不可以言宣，真是所谓“穷途仗友生”！这几封催我前往的信，我因为在抗战那年，检入行箧中，老是携带着，前年在重庆写了一篇《鲁迅的几封信》，把它发表，作为他逝世九周年的一点纪念，所以这里不再钞引了。

我航海既到广州，便在逆旅中，遣使送信去通知鲁迅。使者回，说人不在家。到了第二天的下午，景宋见访，始知鲁迅才从香港讲演回来，因足受伤，不良于行，教她来接我至校同住。那时候，他住在中山大学的最中央而最高最大的一间屋——通称“大钟楼”，相见忻然。书桌和床铺，我的和他的占了屋内对角线的两端。这晚上，他邀我到东堤去晚酌，肴馔很上等甘洁。次日又到另一处去小酌，我要付账，他坚持不可，说先由他付过十次再说。从此，每日吃馆子，看电影，星期日则远足旅行，如是者十余日，豪兴才稍疲。后来，开学期近了，他是教授兼教务主任，忙于开会议，举行补考，核算分数，接见种种学生，和他们辩论种种问题，觉得日不暇给，豪兴更减了。我对于广州的印象，因为是初到，一切觉得都很新鲜，便问他的印象如何。他答道：革命策源地现在成为革命的后方了，还不免是灰色的。我听了很受感动。又问他在香港讲演的题目是什么，反应是怎样，他答道：香港这殖民地是极不自由的，我的讲演受到种种阻碍，题目是《老调子已经唱完》，《无声的中国》，有人想把我的讲稿登载报上，可是被禁止了。

这间大钟楼是大而无当，夜里有十几匹头大如猫的老鼠赛跑，清早有懒不做事的工友们在门外高唱，我和鲁迅合居其间，我喜欢早眠早起，而鲁迅不然，各行其事，两不相妨，因为这间楼房的对角线实在来得长。晚餐后，鲁迅的方面每有来客络绎不绝，大抵至十一时才散。客散以后，鲁迅才开始写作，有时至于彻夜通宵，我已经起床了，见他还在灯下伏案挥毫，《铸剑》等篇便是这样写成的。有一天，傅孟真（其时为文学院长）来谈，说及顾某可来任教，鲁迅听了就勃然大怒，说道："他来，我就走。"态度异常坚决。

后来搬出学校，租了白云楼的一组，我和鲁迅、景宋三人合居。地甚清静，远望青山，前临小港，方以为课余可以有读书的环境了。那知道感触之来，令人窒息，所谓“抱着梦幻而来，一遇实际，便被从梦境放逐了，不过剩下些索寞”。清党事起，学生被捕者不少，鲁迅出席各主任紧急会议，归来一语不发，我料想他快要辞职了，一问，知道营救无效。不久，他果然辞职，我也跟着辞职。他时常提起，有某人瘦小精悍，头脑清晰，常常来谈天的，而今不来了。鲁迅从此潜心写作，不怕炎热的阳光侵入住室到大半间，仍然手不停挥：修订和重钞《小约翰》的译稿；编订《朝花夕拾》作后记，绘插图，又编录《唐宋传奇集》。十月回至上海。自去年秋，出北京，中经厦门，广州，至此仅一年，他的生活是不安的，遭遇是创痛的。

二一　上海生活——前五年
（一九二七——一九三一）

鲁迅自一九二七年回上海，至一九三六年逝世，这十年间，国难的严重日甚一日，因之，生活愈见不安，遭遇更加惨痛，环境的恶劣实非通常人所能堪，他的战斗精神却是再接再厉，对于帝国主义的不断侵略，国内政治的不上轨道，社会上封建余毒的弥漫，一切荒淫无耻的反动势力的猖獗，中国文坛上的浅薄虚伪，一点也不肯放松，于是身在围剿禁锢之中，为整个中华民族的解放和进步，苦战到底，决不屈服。从此在著译两方面，加倍努力，创作方面除历史小说《故事新编》，通讯《两地书》（与景宋合著）等以外，特别着重前所发明的一种战斗文体——短评，杂文——来完成他的战斗任务。翻译方面则有文艺理论，长篇小说，短篇小说，童话等。

他又介绍新旧的“木刻”，提倡“新文字”，赞助“世界语”。同时他在行动上，又参加了三“盟”，即“自由运动大同盟”，“左翼作家联盟”，及“民权保障同盟会”。总之，他是不朽的作家，文化的导师，正义的斗士，中华民族的灵魂。

这十年间，我因为在南京和北平服务，虽不能常常晤见鲁迅，但每次道经上海，必定往访，所以每年至少有十余次的会见，最后两年晤面较稀，但每年亦至少四五次。他初回上海，即不愿教书，我顺便告知蔡孑民先生，即由蔡先生聘为大学院特约著作员，与李审言同时发表。

一九二九年九月，景宋夫人产生一个男孩，名曰“海婴”。我知道了很忻喜，立刻要求鲁迅赶快领我到医院去道贺，我说：你俩本来太寂寞，现在有了“宁馨儿”可以得到安慰了。不料其未满八岁，鲁迅便去世，不及见其成立啊！海婴生性活泼，鲁迅曾对我说：“这小孩非常淘气，有时弄得我头昏，他竟问我：‘爸爸可不可以吃的？’我答：‘要吃也可以，自然是不吃的好。’”我听了一笑，说他正在幻想大盛的时期，而本性又是带神经质的。鲁迅颇首肯，后来他作《答客诮》一诗，写出爱怜的情绪云：

无情未必真豪杰，
怜子如何不丈夫。
知否兴风狂啸者，
回眸时看小於菟。

一九三〇年春，鲁迅被浙江省党部呈请通缉，其罪名曰“反动文人”，其理由曰“自由大同盟”，说来自然滑稽，但也很可痛心。那时，浙江省党部有某氏主持其事，别有用意，所谓“罪名”，“理由”，都是表面文章，其真因则远在编辑刊物。当鲁迅初到上海，主编《语丝》的时候，有署名某某的青年，投稿揭发他的大学的黑幕，意在促使反省，鲁迅就把它登出来了。这反响可真大，原来某氏是该大学毕业生，挟嫌于心，为时已久，今既有“自由大同盟”可作题目，借故追因，呈请通缉，而且批准。鲁迅曾把这事的经过，详细地对我说过：“自由大同盟并不是由我发起，当初只是请我去演说，按时前往，则来宾签名者已有一人（记得是郁达夫君），演说次序是我第一，郁第二，我待郁讲完，便先告归，后来闻当场有人提议要有甚么组织，凡今天到会者均作为发起人，迨次日报上发表，则变成我第一名了。”鲁迅又说：“浙江省党部颇有我的熟人，他们倘来问我一声，我可以告知原委，今竟突然出此手段，那么我用硬功对付，决不声明，就算由我发起好了……”这愤慨是无怪的。鲁迅又常常说：“我所抨击的是社会上的种种黑暗，不是专对国民党，这黑暗的根源，有远在一二千年前的，也有在几百年，几十年前的，不过国民党执政以来，还没有把它根绝罢了。现在他们不许我开口，好像他们决计要包庇上下几千年一切黑暗了。”

同年三月，鲁迅参加“左翼作家联盟”的成立会，这是一件极重要的事情。为什么“左翼作家联盟”到这时候才成立呢？因为鲁迅已经首先输入了蒲力汗诺夫，卢那卡尔斯基的理论，给大家能够互相切磋，更加坚实而有力。这些译书的影响确是很大，从此内讧停止，开始深入的发展，形成崭新的阵营。在“左联”成立之先，鲁迅常对我说：“骂我的人虽然很多，但是议论大都是不中肯的。骂来骂去骂不出所以然来，真是无聊。”现摘引一段如下：

> 从前年以来，对于我个人的攻击是多极了，每一种刊物上，大抵总要看见“鲁迅”的名字，而作者的口吻，则粗粗一看，大抵好像革命文学家。但我看了几篇，竟逐渐觉得废话太多了。解剖刀既不中腠理，子弹所击之处，也不是致命伤。……我于是想，可供参考的这样的理论，是太少了，所以大家有些糊涂。对于敌人，解剖咬嚼，现在是在所不免的，不过有一本解剖学，有一本烹饪法，依法办理，则构造味道，总还可以较为清楚有味。人往往以神话中的Proemetheus比革命者，以为窃火给人，虽遭天帝之虐待不悔，其博大坚忍正相同。但我从别国里窃得火来，本意却在煮自己的肉的，以为倘能味道较好，庶几在咬嚼者那一面也得到较多的好处，我也不枉费了身躯：出发点全是个人主义，并且还夹杂着小市民性的奢华，以及

慢慢的摸出解剖刀来，反而刺进解剖者的心脏里去的“报复”。梁（实秋）先生说：“他们要报复！”其实岂止“他们”，这样的人在“封建余孽”中也很有的。然而，我也愿于社会有些用处，看客所见的结果仍是火和光。这样，首先开手的就是《文艺政策》，因为其中含有各派的议论。（《二心集·“硬译”与“文学的阶级性”》）

在“左联”成立时，鲁迅发表演说，首则警戒“左翼”作家是很容易成为“右翼作家”的。继则提出今后应注意的几点：“第一，对于旧社会和旧势力的斗争，必须坚决，持久不断，而且注重实力。……第二，我以为战线应该扩大。……第三，我们应当造出大群的新的战士。……同时，在文学战线上的人还要‘韧’。”（《二心集·对于左翼作家联盟的意见》）

从此“左联”成为中国新文艺界的主力，一直发展下去，而鲁迅则成为其领导者。

一九三一年一月，因柔石等被捕，谣传鲁迅也被拘或已死了。大报上虽没有记载，小报上却言之凿凿，我正在忧疑焦急，而他的亲笔邮信忽然到了，知道他已经出走，这才使我放心。信中体裁和以前的大不相同，不加句读，避掉真名而用“索士”和“令斐”，这是同一个人，我素所知悉的。且以换住医院，代替出走。原信录如下：

季黻吾兄左右昨至宝隆医院看索士兄病则已不在院中据云大约改入别一病院而不知其名拟访其弟询之当知详细但尚未暇也近日浙江亲友有传其病笃或已死者恐即因出院之故恐兄亦闻此讹言为之黯然故特以奉白此布即请

道安

弟令斐顿首　一月二十一日

至于谣传被拘的原因是这样的，鲁迅告诉我：“因为柔石答应了去做某书店的杂志编辑，书店想印我的译著，托他来问版税的办法，我为要他省掉多跑一趟路，便将我和北新书局所订的合同，钞了盖印交给他，临别时我看他向大衣袋里一塞，匆匆的去了。不料翌日就被捕，衣袋里还藏着我那盖印的合同，听说官厅因此正在找寻我，这是谣传我被拘的原因。”柔石原名平复，姓赵，浙江宁海县人，创作之外，致力于绍介外国文艺，尤其是北欧东欧的文学与版画。被捕后二十日，秘密枪决（参阅《二心集·柔石小传》）。鲁迅更有一篇《为了忘却的纪念》(《南腔北调集》)，写得真挚沉痛，中有一诗如下：

惯于长夜过春时，挈妇将雏鬓有丝。
梦里依稀慈母泪，城头变幻大王旗。
忍看朋辈成新鬼，怒向刀丛觅小诗。
吟罢低眉无写处，月光如水照缁衣。

他对我解释道：“那时我确无写处的，身上穿着一件黑色袍子，所以有‘缁衣’之称。”同时他又写给我看许多首旧作。这诗中“刀丛”二字，他后来写给我的是作“刀边”。

鲁迅说：同是青年而不可以一概论，志行薄弱者或则投书告密，或则助官捕人。别国的硬汉为什么比中国多？是因为别国的淫刑不及中国的缘故。中国也有好青年，至死不屈者常常有之，但皆秘不发表。其不能熬刑至死者，就非卖友不可，非贩人命以自肥不可。所以坚卓者壮烈而先亡，游移者偷生而堕落。

鲁迅是大仁，他最能够感到别人的精神上的痛苦，尤其能够感到暗暗的死者的惨苦。他说:“造化生人已经非常巧妙,使一个人不会感到别人的肉体上的痛苦了，我们的圣人和圣人之徒却又补了造化之缺，并且使人们不再会感到别人的精神上的痛苦。”他又说:“我每当朋友或学生的死，倘不知时日，不知地点，不知死法，总比知道的更悲哀和不安！由此推想那一边，在暗室中毕命于几个屠夫的手里,也一定比当众而死的更寂寞。……我先前读但丁的《神曲》，到《地狱》篇，就惊异于这作者设想的残酷，但到现在，阅历加多，才知道还是仁厚的了:他还没有想出一个现在已极平常的惨苦到谁也看不见的地狱来。”他说话时的神情，悲悯沉痛，至今还使我不能忘记。

二二　上海生活——后五年
（一九三二—— 一九三六）

一九三一年九月十八日，万恶的日本军攻陷沈阳，攻下吉林，又破黑龙江，关东三省皆陷。翌年一月，又以海军陆战队窥上海，二十八日夕敌突犯闸北，我第十九路军总指挥蒋光鼐，军长蔡廷锴率所部迎击，神圣的抗战遂起。我挂念鲁迅的寓所正是在火线中，乔峰的也是如此，无法通讯，不知其如何脱离虎口，不得已电讯陈子英，子英即登报寻觅，于是鲁迅知道了，立刻给我一信如下：

季市兄：

因昨闻子英登报招寻，访之，始知兄曾电询下落。此次事变，殊出意料之外，以致突陷火线中，血刃塞涂，飞丸入室，真有命在旦夕之慨。于二月六日，始得内山君设法，携妇孺走入英租界，书物虽一无取携，而大小幸无恙，可以告慰也。现暂寓其支店中，亦非久计，但尚未定迁至何处，倘赐信，可由“四马路杏花楼下，北新书局转”耳。此颂

曼福。

弟树顿首　二月二十二日

乔峰亦无恙，并闻。

我又挂念他虽已逃出了，或许寓屋被毁，书物荡然，又挂念他此后的行踪，所以接连通讯，兹摘录其来信数通如下：

季市兄：

顷得二月二十六日来信，谨悉种种。旧寓至今日止，闻共中四弹，但未贯通，故书物俱无恙，且亦未遭劫掠。以此之故，遂暂蜷伏于书店楼上，冀不久可以复返，盖重营新寓，为

事甚烦，屋少费巨，殊非目下之力所能堪任。倘旧寓终成灰烬，则拟挈眷北上，不复居沪上矣。

被裁之事，先已得教部通知，蔡先生如是为之设法，实深感激。惟数年以来，绝无成绩，所辑书籍，迄未印行，近方图自印《嵇康集》，清本略就，而又突陷兵火之内，存佚盖不可知。教部付之淘汰之列，固非不当，受命之日，没齿无怨。现北新书局尚能付少许版税，足以维持，希释念为幸。

今所恳望者，惟舍弟乔峰在商务印书馆作馆员十年，虽无赫赫之勋，而治事甚勤，始终如一，商务馆被燹后，与一切人员，俱被停职，素无储积，生活为难，商务馆虽云人员全部解约，但现在当必尚有蝉联，而将来且必仍有续聘，可否乞兄转蕲蔡先生代为设法，俾有一栖身之处，即他处他事，亦甚愿服务也。

钦文之事，在一星期前，闻虽眷属亦不准接见，而死者之姊，且控其谋财害命，殊可笑，但近来不闻新消息，恐尚未获自由耳。

匆复，即颂

曼福。

弟树启上　三月二日

乔峰广平附笔致候。

信中所云被裁之事，即指特约著作员的薪水。

季市兄：

快函已奉到。诸事至感。在漂流中，海婴忽生疹子，因于前日急迁至大江南饭店，冀稍得温暖，现视其经过颇良好，希释念。昨去一视旧寓，除震破五六块玻璃及有一二弹孔外，殊无所损失，水电瓦斯，亦已修复，故拟于二十左右，回去居住。但一过四川路桥，诸店无一开张者，入北四川路，则市廛家屋，或为火焚，或为炮毁，颇荒漠，行人亦复寥寥。如此情形，一时必难恢复，则是否适于居住，殊属问题，我虽不惮荒凉，但若购买食物，须奔波数里，则亦居大不易耳。总之，姑且一试，倘不可耐，当另作计较，或北归，或在英法租界另觅居屋，时局略定，租金亦想可较廉也。乔峰寓为炸弹毁去一半，但未遭劫掠，故所失不多，幸人早避去，否则，死矣。此上，即颂曼福。

树启上　三月十五日

季市兄：

近来租界附近已渐平静，电车亦俱开通，故我已于前日仍回旧寓，门墙虽有弹孔，而内容无损。但鼠窃则已于不知何时惠临，取去妇孺衣被及厨下什物二十余事，可值七十元，属于我个人者，则仅取洋伞一柄。一切书籍，俏然俱存，且似未尝略一翻动，此固甚可喜，然亦足见文章之不值钱矣。要之，与闸北诸家较，我寓几可以算作并无损失耳。今路上虽已见中国行人，而迁去者众，故市廛未开，商贩不至，状颇荒凉，得食物亦颇费事。本拟往北京一行，勾留一二月，怯于旅费之巨，故且作罢。暂在旧寓试住，倘不大便，当再图迁徙也。在流徙之际，海婴忽染疹子，因居旅馆一星期，贪其有汽炉耳。而炉中并无汽，屋冷如前寓而费钱却多。但海婴则居然如居暖室，疹状甚良好，至十八日而全愈，颇顽健。始知备汽炉而不烧，盖亦大有益于卫生也。钦文似尚不能保释，闻近又发见被害者之日记若干册，法官当一一细读，此一细读，正不知何时读完，其累钦文甚矣。同寓后不复能常往北新，而北新亦不见得有人来，转信殊多延误，此后赐示，似不如由内山书店转也。此上，即颂

曼福。

迅启上　三月二十一夜

此后，关于寓屋及闸北被毁的情状尚有数信见告，兹从略。

一九三三年，“民权保障同盟会”成立，举蔡先生孙夫人为正副会长，鲁迅和杨杏佛林语堂等为执行委员，

六月，杏佛被刺，时盛传鲁迅亦将不免之说。他对我说，实在应该去送殓的。我想了一想，答道："那么我们同去。"是日大雨，鲁迅送殓回去，成诗一首：

岂有豪情似旧时，
花开花落两由之。
何期泪洒江南雨，
又为斯民哭健儿。

这首诗才气纵横，富于新意，无异龚自珍。是日语堂没有到，鲁迅事后对我说："语堂太小心了。"记得鲁迅刚由广州回上海不久，语堂在《中国评论周报》发表一文 *Lusin* 当然深致赞扬，尤其对于他在广州讲演魏晋风度，称其善于应变。有一天，我和鲁迅谈及，鲁迅笑着说："语堂我有点讨厌，总是尖头把戏的。"后来，语堂谈小品文而至于无聊时，鲁迅曾写信去忠告，劝其翻译英文名著，语堂不能接受，竟答说这些事等到老时再说。鲁迅写信给我说："语堂为提倡语录体，在此几成众矢之的，然此公亦诚太浅陋也。"

是年四月，鲁迅迁居北四川路大陆新村九号，来信说：“……光线较旧寓为佳，此次过沪，望见访，并乞以新址转函铭之为荷。”他住在这里一直住到死，这是后人应该永远纪念的地方。

近年来，鲁迅因受禁锢，文章没有地方可以发表，虽则屡易笔名，而仍被检查者抽去，或大遭删削，鲁迅说：“别国的检查不过是删去，这里却是给作者改文章，那些人物，原是做不成作家，这才改行做官的，现在他却来改文章了，你想被改者冤枉不冤枉。即使在删削的时候，也是删而又删，有时竟像讲昏话，使人看不懂。”

鲁迅有时也感到寂寞，对我详述独战的悲哀，一切人的靠不住，我默然寄以同情，但我看他的自信力很强，肯硬着头皮苦干。我便鼓励着说：“这是无足怪的，你的诗‘两间余一卒，荷戟独彷徨’，已经成为两间余一卒，挺戟独冲锋了。”相与一笑。

鲁迅说：章先生著《学弊论》所谓“凡学者贵其攻苦食淡，然后能任艰难之事而德操亦固”。这话诚然不错，然其欲使学子勿慕远西物用之美，而安守其固有之野与拙，则是做不到的。因为穷不是好事，必须振拔的。

鲁迅的《中国小说史略》，日本的大学多用为教本，所以有增田涉的译本。其工作颇诚恳不苟，开译之前，特地来上海，亲就鲁迅寓所听其讲解，每日约费三小时，如是者好几个月。回国后，即整理笔记，开始翻译，有疑难时，则复以通讯请益，凡二年而始脱稿。印刷装订均极华美。出版后，增田氏以两册赠鲁迅，鲁迅即以一册题字赠我，并且笑着说："我的著作在自己本国里，还没有这样阔气装潢过的。"

鲁迅一生做事最大目标是为大众，为将来。故于大众艺术和大众语文，晚年最所致力。（一）大众艺术，可以他的提倡木刻为代表。他不但创办木刻讲习会，自己担任口译，不但广搜现代欧洲的名作，开会展览，连我国古书中的木刻，有可给青年学子做参考材料的，也竭力搜罗善本而印行之，例如陈老莲的《博古叶子》，他写信给我说："有周子竞先生名仁，兄识其人否？因我们拟印陈老莲插画集，而《博古叶子》无佳本，蟫隐卢有石印本，然其底本甚劣。郑君振铎言曾见周先生藏有此书原刻，极想设法借照，郑重处理，负责归还。兄如识周先生，能为一商洽否？"我因为子竞在上海，便函托蔡先生就近商借。又鲁迅对于青年木刻家，一方面鼓励，一方面予以不客气的批评，《鲁迅书简》中关于讨论木刻的很多，例如给李桦的诸信，言之甚详。

（二）大众语文，鲁迅发表了许多篇，如《汉字和拉丁化》，《门外文谈》，《中国语文的新生》，《关于新文字》和《论新文字》。现在摘引一段如下：

> 现在写一点我的简单的意见在这里：
>
> 一、汉字和大众，是势不两立的。
>
> 二、所以，要推行大众语文，必须用罗马字拼音（即拉丁化，现在有人分为两件事，我不懂是怎么一回事），而且要分为多少区……
>
> 三、普及拉丁化，要在大众自掌教育的时候，现在我们所办得到的是：（甲）研究拉丁化法；（乙）试用广东语之类，读者较多的言语，做出东西来看；（丙）竭力将白话做得浅豁，使能懂的人增多，但精密的所谓"欧化"语文，仍应支持……
>
> 四、在乡僻处启蒙的大众语，固然应该纯

用方言，但一面仍然要改进。……

五、至于已有大众语雏形的地方，我以为大可以依此为根据而加以改进，太僻的土语是不必用的。……（《且介亭杂文·答曹聚仁先生信》）

至于鲁迅的为将来，可以他的儿童教育问题为代表。“救救孩子”这句话是他一生的狮子吼，自从他的《狂人日记》的末句起，中间像《野草》的《风筝》说儿童的精神虐杀，直到临死前，愤于《申报·儿童专刊》的谬说，作《立此存照》（七）有云：“真的要救救孩子。”（《且介亭杂文末编》附集）他的事业目标都注于此。在他的《二十四孝图》中说：“诅咒一切反对白话，妨害白话者。”就是为的儿童的读物。在他的《我们现在怎样做父亲》中有云：“自己背着因袭的重担……此后幸福的度日，合理的做人。”因之对于儿童读物，费了不少心血，他的创作不待言，他的译品就有多篇是童话，例如《表》（全集第十四册）的译本，真是又新鲜，又有益。“为了新的孩子们，是一定要给他新作品，使他向着变化不停的新世界，不断的发荣滋长的。”“十来年前，叶绍钧先生的《稻草人》是给中国的童话开了一条自己创作的路的。不料此后不但并无蜕变，而且也没有人追踪，倒是拼命的在向后转。……”（《表·译者的话》）不仅此也，鲁迅对于儿童看的画本，也有严正的指示，现在引一段在下面：

> ……画中人物，大抵倘不是带着横暴冥顽的气味，甚而至于流氓模样的，过度的恶作剧的顽童，就是钩头耸背，低眉顺眼，一副死板板的脸相所谓“好孩子”。这虽然由于画家本领的欠缺，但也是取儿童为范本的，而从此又以作供给儿童仿效的范本。我们试一看别国的儿童画罢，英国沉着，德国粗豪，俄国雄厚，法国漂亮，日本聪明，都没有一点中国似的衰惫的气象。观民风是不但可以由诗文，也可以由图画，而且可以由不为人们所重的儿童画的。
>
> 顽劣，钝滞，都足以使人没落，灭亡，童年的情形，便是将来的命运。我们的新人物，

讲恋爱，讲小家庭，讲自立，讲享乐了，但很少有人为儿女提出家庭教育的问题，学校教育的问题，社鲁改革的问题。先前的人，只知道“为儿孙作马牛”，固然是错误的，但只顾现在，不想将来，“任儿孙作马牛”，却不能不说是一个更大的错误。(《南腔北调集·上海的儿童》)

二三　和我的交谊

我和鲁迅生平有三十五年的交谊，彼此关怀，无异昆弟，例如他为我谋中山大学教书事，备极周到，已述于前第二十章。他的著译编印的书，出版后大抵都有惠赠给我，并且大抵有题字，弥足珍贵。例如《凯绥·珂勒惠支版画集》的题字（见第十一章），日译《支那小说史》的题字（见第二十二章），亦已述及，赠与稠叠，永留纪念。一九〇九年我和沈夫人结婚，鲁迅赠以《文史通义》和《校雠通义》。他知道我爱诵乡先生李慈铭的文章，即以厂肆所搜得的曾之撰刻《越缦堂骈体文集》四册给我。我读了，才知世传《孽海花》一书的作者曾朴，就是曾之撰的儿子，其序文明言令儿子朴受业为弟子。因之偶和鲁迅谈及，他即采入他的《中国小说史略》，云“……使撰者诚如所传，则改称李纯客者，实其李慈铭字莼客（见曾之撰:《越缦堂骈体文集》序），亲炙者久，描写当能近实，而形容时复过度，亦失自然”（《中国小说史略·清末之谴责小说》）。足见鲁迅著书，取材和引例都费斟酌，具深心的。

吾越乡风，儿子上学，必定替他挑选一位品学兼优的做开蒙先生，给他认方块字，把笔写字，并在教本面上替他写姓名，希望他能够得到这位老师品学的薰陶和传授。一九一四年，我的长儿世瑛年五岁，我便替他买了《文字蒙求》，敦请鲁迅做开蒙先生。鲁迅只给他认识两个方块字：一个是“天”字，一个是“人”字，和在书面上写了“许世瑛”三个字。我们想一想，这“天”“人”两个字的含义实在广大得很，举凡一切现象（自然和人文），一切道德（天道和人道）都包括无遗了。后来，世瑛考入国立清华大学——本来打算读化学系，因为眼太近视，只得改读中国文学系，请教鲁迅应该看些什么书，他便开示了一张书单，现在钞录如下：

计有功　宋人《唐诗纪事》（四部丛刊本，又有单行本）

辛文房　元人《唐才子传》(今有木活字单行本)

严可均《全上古……隋文》(今有石印本，其中零碎不全之文甚多，可不看)

丁福保《全上古……隋诗》(排印本)

吴荣光《历代名人年谱》(可知名人一生中之社会大事，因其书为表格之式也。可惜的是作者所认为历史上的大事者,未必真是“大事”，最好是参考日本三省堂出版之《模范最新世界年表》)

胡应麟　明人《少室山房笔丛》(广雅书局本，亦有石印本)

《四库全书简明目录》(其实是现有的较好的书籍之批评,但须注意其批评是“钦定”的)

刘义庆《世说新语》(晋人清谈之状)

王定保　五代《唐摭言》(唐文人取科名之状态)

葛洪《抱朴子外篇》(内论及晋末社会状态。有单行本)

王充 《论衡》（内可见汉末之风俗迷信等）

王晫 《今世说》（明末清初之名士习气）

以上所列书目，虽仅寥寥几部，实在是初学文学者所必需翻阅之书，他的说解也简明扼要。

一九一八年初夏，内子沈夫人由北京初到南昌，不及半月便病故。鲁迅远来函唁（可惜我在南昌收到的书函均已散失了），大意是说惊闻嫂夫人之丧，世兄们失掉慈母，固然是不幸，但也不尽然。我向来的意见，是以为倘有慈母，或是幸福，然若幼而失母，却也并非完全的不幸，因为他们也许倒成为更加勇猛，更无挂碍的男儿的……他真想得深刻，不是普通吊唁的套语。

一九一九年春初，伯兄铭伯先生应友人之邀，出席夜宴，忽患左体不遂症，次晨即命舍侄世璿走访鲁迅，商量延医之事。那时我在南昌，后据璿侄转述：鲁迅先生想了一想，便说这个病不容易完全治愈的。德医逖普耳太忙，法医某不很知悉，还是请意大利的儒拉来诊罢。伯兄因为和鲁迅平素气味相投，过从亦密，所以病中对于凡来存问的戚友，必先述鲁迅之言，德医如何如何，法医如何如何，还是意大利医生儒拉罢。其后亦曾遍觅良医，但是果然无效，计病二十九个月而殁，鲁迅闻讣即来吊。

一九三四年年冬，三女世玚在嘉兴患扁桃腺炎，我远在北平，不及照顾，只好倩内子陶伯勤往访鲁迅烦他绍介医师。他为人谋，最忠实不惮烦，阅下面的几封信便可了然：

第一封

季市兄：

二十三日嫂夫人携世玚来，并得惠函，即同赴筱崎医院诊察，而医云扁桃腺确略大，但不到割去之程度，只要敷药约一周间即可。因即回乡，约一周后再来，寓沪求治，如此情形，实不如能割之直捷爽快，因现在则虽治好，而咽喉之弱可知，必须永远摄卫；且身体之弱，亦与扁桃腺无关，当别行诊察医治也。后来细想，前之所以往筱崎医院者，只因其有专科，今既不割，而但敷药，内科又须另求一医诊视，所费颇多，实不如另觅一兼医咽喉及内科者之便当也。弟亦识此种医生，俟嫂夫人来沪时，当进此说，想兄必亦以为是耳。又世玚看书一久，辄眼酸，闻中国医曾云患沙眼，弟以问筱崎医院，托其诊视，则云不然，后当再请另一医一视。或者因近视而不带镜，久看遂疲劳，亦未可知也。舍下如常，可释远念。匆布，即请

道安。

弟飞顿首　十月二十七日

第二封

季市兄：

惠函早收到。大约我写得太模糊，或者是兄看错了，我说的是扁桃腺既无须割，沙眼又没有，那么就不必分看专门医，以省经费，只要看一个内科医就够了。

今天嫂夫人携世玚来，我便仍行我的主张，换了一个医生，他是六十多岁的老手，姓须藤，经验丰富，且与我极熟，决不敲竹杠的。经诊

断之后，他说关键全在消化系，与扁桃腺无关，而眼内亦无沙眼，只因近视而不戴镜，所以容易疲劳。眼已经两个医生看过，皆云非沙眼，然则先前之诊断，不大可怪耶。

从月初起，天天发热，不能久坐，盖疲劳之故，四五天以前，已渐愈矣。上海多琐事，亦殊非好住处也。

专此布达，并请

道安。

弟飞顿首　十一月廿七日

第三封

季市兄：

顷奉到十二月五日惠函，备悉种种。世场来就医时，正值弟自亦隔日必赴医院，同道而去，于时间及体力，并无特耗损，务希勿以为意。至于诊金及药费，则因与医生甚熟，例不即付，每月之末，即开账来取，届时自当将世场及陶女士之账目检出寄奉耳。

弟因感冒，害及肠胃，又不能悠游，遂至颓惫多日，幸近已向愈，胃口亦渐开，不日当可复原，希勿念为幸。

专此布复，并颂

曼福。

弟飞顿首　十二月九日

一九三五年七月，长女世瑄和汤兆恒在上海新亚酒家结婚。我因为国难期间，不敢发柬，但是戚友来者已不少，鲁迅一向不肯出门酬应，独对于我是例外，那天下午偕景宋挈海婴惠然来贺，并且到得很早。郑介石君来翻阅来宾签名簿，见“周树人”三个字，便忻然问我：周先生也来了吗？我遂导引上屋顶花园，他们相见，非常高兴，因为已经阔别好几年了。近来我读《鲁迅书简》（一九四六年出版），才知道他为我费去许多宝贵的光阴。“……月初因为见了几回一个老朋友，又出席于他女儿的结婚，把译作搁起来了，后来须赶译，所以弄得没有工夫。”（《鲁讯书简》第八一八页）觉得他的光临是非常忻幸，但是耽误了他的译作又是抱歉万分！

二四　日常生活

鲁迅出学校以后，从事战斗的新文艺工作，亘三十年。这三十年间始终维持着最朴素的学生和战士的生活，“焚膏油以继晷，恒兀兀以穷年”，节衣缩食以购图书，以助穷苦青年的学费。景宋说得好：“‘囚首垢面而谈诗书’，这是古人的一句成语，拿来转赠给鲁迅先生，是很恰当的。我推测他的所以‘囚首垢面’，不是故意惊世骇俗，老实说，还是浮奢之风，不期引起他的不重皮相，不以外貌评衡一般事态，对人如此，对自己也一样。”又说：“说到废纸做信封，我更忆起他日常生活之一的惜物。……他则正惟其如此，日积月累地，随时随地可省则省，留有用的金钱，做些于人于社会有益的事。不然，不管他如何大心助人，以区区收入，再不处处俭省，怎能做到他当时所愿做的呢。”（《新中国文艺丛刊》

三，景宋:《鲁迅的日常生活》)

关于他的衣着，他在南京读书时，没有余钱制衣服，以致夹袴过冬，棉袍破旧得可怜，两肩部已经没有一点棉絮了。这是他逝世以后，母太夫人才告诉我的。他在杭州教书时，仍旧着学生制服，夏天只做了一件白羽纱长衫，记得一直到十月天冷为止。后来新置了一件外套，形式很像现今的中山装，这是他个人独出心裁，叫西服裁缝做成的，全集第八册插图，便是这服装的照片。他的鞋是革制而遮满足踝的。我还记得他在绍兴中学堂教书时，有过一件“皮鞋踢鬼”的趣事：他的家和学堂的距离颇远，中间有一条近路，是经过义冢堆的。有一天晚上，在学堂里弄得时候迟了，回家时，心想走那一条路呢。决定仍走近路，两边草长得很高，忽地望见正面有个白东西毫不做声地停住着，而且渐渐变为矮小，终于成为石头那样不动了。他当时有些踌躇，这样深夜，会有人在这样地方行动，大约是所谓“鬼”罢？对这恶物的袭来，是“进攻”还是“退却”呢？短时间的决定：还是冲上去，而且走到这白东西的旁边，便用硬底皮鞋先踢了出去，结果那白东西“呵唷”一声，站起来向草中逃去了，鲁迅终于不晓得这是什么东西，他后来讲到这趣事时，笑着说：“鬼也是怕踢的，踢他一脚，就立刻变成人了。”他到广州以后，少着皮鞋，改用黑色帆布面胶底的了。

关于他的饮食，饭菜很随便，惟不很喜吃隔夜菜和干咸品，鱼蟹也少吃，为的怕去骨和剥壳的麻烦。除饮茶和吸烟外，并无嗜好。茶用清茶，烟草用廉价品，每日大概需五十支。早上醒来便在卧帐内吸烟，所以住会馆时，他的白色蚊帐熏成黄黑。还有一段趣事，即本书第五章所说“火车上让坐给老妇人，弄得后来口渴想买茶而无钱”，原因也是在爱吸烟草。有一天，他从东京回仙台，付过了房饭钱，和人力车钱，买好了火车票之后，口袋里只剩两角银货和两个铜板了。因为火车一夜就到，他的学费已经先由公使馆直寄学校留交了，他大胆地把这两角钱统统买了烟，自以为粮草已足，百事无忧，扬长登车去了。不料车到某站，众客拥挤而上，车内已无余坐，鲁迅便对一位老妇人起立让坐，她因此感激，谢了又谢，攀谈既久，馈以一大包咸煎饼。鲁迅大嚼之余，便觉口渴，到了一站，便唤住卖茶者，但立刻记得口袋中的情形，支吾一声不要买了。但是老妇人已经听得他的唤茶而不买，以为是时间来不及之故，到了次一站，她便代为唤住，鲁迅只好推托说，我现在不渴了。于是她买了一壶送给他，他也不客气，一饮而尽。有谁知道他的口袋中只有两个铜板呢？（参阅拙著《回忆鲁迅》）他不敢多喝酒，因为他的父亲曾有酒脾气，所以他自己很有节制，不敢豪饮。他爱吃辣椒。我当初曾问他何时学会吃辣，他只答道在南京读书时，后来才告诉我：因为夹袴过冬，不得已吃辣椒以御寒气，渐渐成为嗜好，因而害及胃的健康，为毕生之累。他发胃病的时候，我常见他把腹部顶住方桌的角上而把上身伏在桌上，这可想见他胃痛的厉害呀！

鲁迅能健谈，和他相处，随便聊天，也可见其胸怀磊落，机智疾流，有光风霁月之概。所谈有种种，或叙述，或评论，或笑话，或悲愤，都令人感到亲切和痛快。可惜我当时没有把它记录下来，损失至巨。李霁野说得好："……从他的脸上可以看出他所经历的人生经验是何等深刻，他谈话时的两眼显然表示着他的观察是何等周密和锐敏，听到不以为然的事时，他的眉头一皱，从这你也不难看出他能感到怎样的悲愤。笑话是常有的但却不是令人笑笑开心的笑话，那里面总隐藏着严肃和讽刺，他的谈锋和笔锋一样，随时有一针见血的地方，使听者觉得这是痛快不过的谈吐。”有人以为鲁迅好骂，其实不然，我从不见其谩骂，而只见其慎重谨严。他所攻击的，虽间或系对个人，但因其人代表着某一种世态，实为公仇，决非私怨。而且用语极有分寸，不肯溢量，仿佛等于称过似的。要知道：倘说良家女子是婊子，才是骂，说婊子是婊子，那能算是骂呢？

鲁迅写字用毛笔而不用墨水笔，这是很值得注意的一件事，因为根据他的经验和理论都是拥护后者的。他在学生时代记讲义都是用后者，而且记得很清晰纯熟，又很美观；对于禁用后者又曾反对，以为学生用后者写字当然比前者来得便当而且省时间。他说：“据报上说，因为铅笔和墨水笔进口之多，有些地方已在禁用，改用毛笔了。……倘若安砚磨墨，展纸舔笔，则即以学生的钞讲义而论，速度恐怕总要比用墨水笔减少三分之一，他只好不钞，或者要教员讲得慢，也就是大众的时间被白费了三分之一了。所谓‘便当’并不是偷懒，是说在同一时间内，可以由此做成较多的事情，这就是节省时间，也就是使一个人的有限的生命，更加有效，而也即等于延长了人的生命。古人说‘非人磨墨墨磨人’，就在悲愤人生之消磨于纸笔中，而墨水笔之制成，是正可以弥这缺憾的。”（《准风月谈·禁用和自造》）话虽如此，但是他的全集的原稿可说全是用毛笔写；其余未印的二十五年间的日记和已印未印的几千通的书简也都是用毛笔写的。这用毛笔的原因，大概不外乎（一）可以不择纸张的厚薄好坏；（二）写字“小大由之”，别有风趣罢。

鲁迅对于书籍的装饰和爱护，真是无微不至。他所出的书，关于书面的图案，排字的体裁，校对的仔细认真，没有一件不是手自经营，煞费苦心。他用的图案总是优美的，书的天地头及题目左右总是宽裕的。他常说：“字排得密密层层，不留余地，令人接在手里有一种压迫感。”又说：“书的每行的头上，倘是圈，点，虚线，括弧的下半（﹂）的时候，是很不好看的。我先前做校对人的那时，想了一种方法，就是在上一行里，分嵌四个‘铅开’，那么，就有一个字挤到下一行去，好看得多了。”经他校过的书，错误是很少很少的。关于线装书，内容有缺页的，他能够钞补；形式有破烂的，也能够拆散，修理，重装完好；书头污秽的，能用浮水石把它磨干净；天地头太短的，也能够每页接衬压平，和北平琉璃厂肆的书匠技术一样高明。他喜欢毛边不切的书，说光边好像和尚头似的；尤其喜欢初印红字本，所以我以初印红字本《章氏丛书续编》赠送，他接在手里，非常高兴。由于他的爱护书籍，纤悉必至，有人把他珍藏的书，借去弄得污损了，他非常悲叹，不叹书而叹那人的心的污浊，即此一端，便可推见其爱护民族爱护人类的大心！

总之，鲁迅一生的起居是很朴素的，克苦耐劳的，始终维持着学生和战士的生活。最后的十年间，有景宋夫人的照料，饮食较为舒适，然她自己还以为罪过，说："记不清有谁说过，鲁迅的生活，是精神胜于物质。的确的，他日常起来迟了，多在十一时余，那么午饭就吃不下了。这样一起床就开始工作，有时直至吃夜饭才用膳，也不过两三种饭菜，半杯薄酒而已。想起来却是我的罪过，不会好好地注意他的营养，到后来，好像灯油的耗尽，那火光还能支持吗？”他的寝具一向是用板床薄被，到上海后，才改用最普通的铁床。书桌旁边放着一张藤躺椅，工作倦了，就在这椅上小坐看看报纸，算作休息而已。

二五　病死

终于说到鲁迅的病死了！他因患肺结核而死。这样可怕的病，当初并不以为意，其实是伏根很早，从少年时已然，至少曾发过两次，又曾生重症肋膜炎一次，以致肋膜变厚，不通 X 光，但当初竟并不医治，且不自知其重病，而自然全愈者，盖身体底子极好之故。到了一九三六年五月，就是他临死四个月前，美国 D 医师来诊，也说他是最能抵抗疾病的人。

……大约实在是日子太久，病象太险了的缘故罢，几个朋友暗自协商定局，请了美国的 D 医师来诊察了。他是在上海的惟一的欧洲的肺病专家，经过打诊，听诊之后，虽然誉我为最能抵抗疾病的典型的中国人，然而也宣告了我的就要灭亡，并且说，倘是欧洲人，则在五年前已经死掉。这判决使善感的朋友们下泪。我也没有请他开方，因为我想，他的医学从欧洲学来，一定没有学过给死了五年的病人开方的法子，然而D医师的诊断却实在是极准确的，后来我照了一张用X光透视的胸像，所见的景象，竟大抵和他的诊断相同。(《〈且介亭杂文末编〉附集·死》)

他的身体底子虽好，却经不起多年的努力和苦斗，以致陷入这种重病中，病危之后，还是力疾工作，不肯小休，而且“要赶快做”，这年四月五日，他寄给我的信中，述及病情，有云：

我在上月初骤病，气喘几不能支，注射而止，卧床数日始起，近虽已似复原，但因译著事烦，终极困顿。倘能悠游半载，当稍健，然亦安可得哉？

信中并不说明肺病，我又疏忽糊涂，以为不过是重感冒之类，所以回信只劝他节劳调摄而已。到了五月下旬，我因公事至南京，二十九日特地往上海去看他，才知病势沉重，胃口不开，神色极惫，不愿动弹，两胫瘦得像败落的丝瓜，看了真叫人难受，这一天，须藤医师给他注射强心剂。三十一日，我再去看他，似乎已略有转机，便劝他务必排遣一切，好好疗养半年，他很以为然说："我从前总是为人多，为己少，此后要想专心休养了。"这一天的下午，便是上述的 D 医师来诊，宣告病危。我返北平以后，景宋来信虽说病体已转危为安，然而仍不肯入院疗治。六月五日，孙夫人宋庆龄先生在病院中，写信慰问鲁迅，劝其马上入院医治，说："……你的生命，并不是你个人的，而是属于中国和中国革命的！为着中国和革命的前途，你有保存，珍重你身体的必要，因为中国需要你，革命需要你！"但是鲁迅仍不肯住院或转地疗养，他觉得如果"中国需要你，革命需要你"，就更不应该自己轻易舍去。六月五日以后，精神委顿，便不能按日写日记了！一直到六月三十日，他有一段追记如下：

自此（五日）以后，日渐委顿，终至艰于起坐，遂不复记，其间一时，颇虞奄忽。但竟渐愈，稍能坐立诵读，至今则可略作数十字矣，但日记是否以明日始，则近颇懒散，未能定也。六月三十日下午大热时志。

七月一日起，鲁迅居然又按日写日记了，直至十月十八日，——逝世前夕始止。兹录一段如下：

七月一日，晴，热。上午得文尹信。午季市来，并赠橘子及糖果。下午须藤先生来注射 Takamol 是为第四次。……

这一天，我刚由北平到上海，所以立刻去慰问，看他的病体确已渐臻恢复，甚为忻喜，他告诉说："医师劝我转地疗养，我正在考虑中，国内是无处可走，国外则如东京之类，来客必多，亦非静养之地，俟后再定。"我竭力怂恿出国疗养，回家后还去信催问动身日期。他七月十七日复信云：

季市兄：

三日惠示早到。弟病虽似向愈，而热尚时起时伏，所以一时未能旅行。现仍注射，当继续八日或十五日，至尔时始可定行止，故何时行与何处去，目下初未计及也。

顷得曹君信，谓兄南旋，亦未见李公，所以下半年是否仍有书教，毫无所知，嘱弟一探听。如可见告，乞即函知，以便转达，免其悬悬耳。

日前寄上版画一本，内容尚佳，想已达。

专此布达，即请

道安。

弟树顿首　七月十七日

可怜！旅行之期始终未能决定。隔了十天（七月二十七日），我回北平，道经上海，再去看他，身体虽瘦，精神已健，确乎已转危为安，只须好好调养罢了。我们长谈一日，他以手自经营，精印题词的《凯绥·珂勒惠支版画选集》赠我（参阅第十一章）。到了晚九时，我握着这本选集告别，他还问我几时再回南，并且下楼送我上车，万不料这竟就是他题词赠我的最后一册，万不料“这一去，竟就是我和他相见的末一回，竟就是我们的永诀”！

十月十九日上午，我在北平便得了电传噩报，知道上午五时二十五分，鲁迅竟尔去世了。我没法想，不能赶去执绋送殡，只打了一个电，略云：“上海施高塔路大陆新村九号，许景宋夫人，豫才兄逝世，青年失其导师，民族丧其斗士，万分哀痛，岂仅为私，尚望善视遗孤，勉承先志……”鲁迅的寿仅五十六岁，其致死之由，我在拙著《怀亡友鲁迅》文中，举出三点：（一）心境的寂寞，（二）精力的剥削，（三）经济的压迫，而以这第（三）为最大的致命伤。他大病中所以不请D医开方，大病后之不转地疗养，“何时行与何处去”，始终踌躇着，就是为了这经济的压迫。鲁迅毕生为反帝反封建而奋斗，淡泊自甘，痛恶权势，受禁锢而不悔，受围攻而不屈，受诬蔑不知若干次；翻译几本科学的文艺理论，就诬他得了苏联的卢布，出版一本《南腔北调集》，就诬他得了日本万金，意在卖国，称为汉奸；爱罗先珂从中国到德国，说了些中国的黑暗，北洋军阀的黑暗，就说这些宣传，受之于他，因为他的女人是日本人，所以给日本人出力；给一个毫不相干的女士做了一篇《〈淑姿的信〉序》，就说她是他的小姨；“一·二八”战事骤起，寓所突陷火线中，得日本人内山完造设法，才避居于其英租界支店的楼上几天，就说他托庇于日本间谍。鲁迅对这些诬蔑，能够愤而安之，“细嚼黄连而不皱眉”。惟独在病势沉重之际，对于抗日的统一战线的态度，因为有人诬陷他，则不能不扶病明白答复，主张不分派别，一致联合来抗日的。他说：“我赞成一切文学家，任何派别的文学家，在抗日的口号之下统一起来的主张，”“我以为文艺家在抗日问题上的联合是无条件的，只要他不是汉奸，愿意或赞成抗日，则不论叫哥哥妹妹，之乎者也，或鸳鸯蝴蝶都无妨。”“我以为在抗日战线上是任何抗日力量都应当欢迎的。”（《且介亭杂文末编·答徐懋庸并关于抗日统一战线问题》）他又在《论现在我们的文学运动》（《且介亭杂文末编》附集），强调为了民族生存上，非和日本侵略者决战不可。“因为现在中国最大的问题，人人所共的问题，是民族生存的问题。……而中国的唯一的出路，是全国一致对日的民族革命战争。”果然，他的文字的感召力极强，所以死后不到一年，伟大的神圣的全面抗战开始了！

鲁迅之丧，我虽挂名为治丧委员之一，却是未能实际赶到参加。景宋曾寄给我一大套丧仪的照片，大约有三四十张，我看了下泪。关于丧仪的盛况，是有一种特色的，报章杂志上都记载得很详，现在取其叙述简单的内山完造（他也是治丧委员之一）的《鲁迅先生》文中一二节如下：

> ……二十日和二十一日在万国殡仪馆瞻仰遗容的期间，有一万人光景从朝到晚作着长蛇形的行列。二十二日出殡，虽说是下午两点钟，可是从早晨就开始拥塞进来的群众，围绕着遗体，几乎连出殡的走路都没有的。
>
> 谁也没有下过命令，没有做过邀请，也没有预先约好，而送殡的行列，却有六千人光景的大众，而且差不多全是青年的男人和少年。旗子挽联，都是棉布的；拿花圈的也罢，拿旗

子挽联的也罢，全部是送葬的人。而且，除了主治医生一个人之外，一辆自备汽车也没有，仅仅由“治丧委员会”租来九辆汽车（按时间计算租金）。一个僧侣也没有，一个牧师也没有，一切都由八个治丧委员办了。这等等，毫无遗憾地发挥着被葬者的人格。两小时半的大行进，一丝未乱，什么事故也没有出。到完全入好穴的辰光，是上弦月开始放射青辉到礼堂上的下午六时了。

内山完造是鲁迅的好友，基督教徒，内山书店的老板，其人好义有识见，抗战中，鲁迅的冢墓被敌伪毁坏了，后忽有人把它完全修复而不以告人。据景宋说，想必是出于他的慷慨而不肯居功。

我和吾友罗膺中，为要永久保留鲁迅的手迹，遗物，以及工作室的全部情形起见，曾经同至西三条胡同住宅，照了十几张相片，以存纪念，且以一套邮寄给景宋。

至于哭挽鲁迅的诗和文，当然很多，我仅就吾友中，选录许季上（丹），张冷僧（宗祥）的诗各一首，马幼渔（裕藻），罗膺中（庸）的挽词各一联，附录于下，以见一斑。

许季上《哭豫才兄》：——

惊闻重译传穷死，[1]
坐看中原失此人。
两纪交情成逝水，
一生襟抱向谁陈。
于今欲杀缘无罪，[2]
异世当知仰大仁。[3]
岂独延陵能挂剑，
相期姑射出埃尘。

张冷僧《哭豫才诗》：——

老友飘零剩几人，
海滨惊报损愁身。
文章几度疑戕命，

[1] 原注，十月十九日夜，见日文晚报载兄死讯，述垂死前情况至为凄切，不忍再读。

[2] 原注，子贡子路相与言曰："杀夫子者无罪，藉夫子者不禁。"

[3] 原注，兄慈仁恻怛，心如赤子，而世人不省，伐树削迹，厄之至死。

魑魅千年见写真。
别有烦冤天莫问，
但余慈爱佛相亲。
呕心沥血归黄土，
天下黔娄识苦辛。

马幼渔《挽豫才联》：——

热烈情绪，冷酷文章，直笔遥师蓟汉阁；
清任高风，均平理想，同心深契乐亭君。

罗膺中《集遗诗句挽鲁迅先生联》：——

荷戟独彷徨，岂惜芳心遗远者；
大圜犹酩酊，如磐夜气压重楼。

翌年一月我利用假期回南，特至万国公墓，在鲁迅墓前献花圈以申哀吊，归途成《哭鲁迅墓诗》一首，附录于此，以终斯记：

身后万民同雪涕，

生前孤剑独冲锋。
丹心浩气终黄土，
长夜凭谁叩晓钟。

读后记

在新旧转变期中的一个文化工作，社会改革者如鲁迅先生，我们任何人都可以研究他，这是超乎捧与骂的一种任务。如众所知，就他三十年的文笔生涯，正是研究近代文化史的不可少的强有力的佐证。但是，关于这方面，仅只从作者自身是不够的，因之有渴求同时代有关系者的揭发。

许季茀先生是鲁迅先生的同乡，同学。而又从少年到老一直友好，更兼不时见面，长期同就职于教育部，同执教于各地，真可以算是知无不言，言无不尽的知己好友。在这种弥足珍贵的情谊之下，我敢于请求许先生写回忆，谅来不是冒昧的。

他们两位是知交，个性却不大相同。闲尝体察，他们在侃侃畅谈的时候，也会见解略异。首先必是鲁迅先生绷起面孔沈默着。但过不多时，彼此又水乳交融，毫无隔阂地谈起来了。不但和许先生如此，有时遇见别的老友齐寿山邵铭之先生等也会有此情状的。奇怪的是齐、邵先生等也和许先生一样，稍稍沈默之后又欢快地交谈了。鲁迅先生时常坚信地说："季茀他们对于我的行动，尽管未必一起去做，但总是无条件地承认我所做的都对。"就这样，他们的友谊互相坚守信赖。就这样，鲁迅先生常常引以自豪，认为生平有几个生死不渝的至友。

有时也会听见鲁迅先生批评许先生人太忠厚了，容易被伪善者的假装所蒙蔽：他相信这人是好的，结果却会是或明或暗地首先反对他。因此时常为许先生操心。我也部分地同意鲁迅先生的话。因为在女师大风潮发生的时候，坚持拥护杨荫榆暗暗反对许先生的，就是他委以女附中主任的那一位。她有权术威胁那些毕业与快毕业的女中学生，不得不拥护杨荫榆。使转眼之间，从女中转入女师大的同学态度为之丕变。使整个学生团体立刻分裂为二。

然而许先生的忠厚却赢得鲁迅先生的友情。不，他们互相的忠厚，真诚地遇见了。许先生一生朋友中，毕竟还有鲁迅先生其人在内，因此又可以说鲁迅先生的操心是过于仁慈了。只要把握着这份友情，其余何足道呢？

他们像友爱的亲兄弟般相处，同仇敌忾，一见于对章士钊的暴谬，再见于广东中山大学的辞职，无患得患失之心，惟大义懔然是见，求之古人，亦不多遇，世情硗薄之秋，得此顽廉懦立了。

被“五四”潮流激荡了的青年，求知心是非常迫切的。不甘于初师毕业了此一生的我，原希望入大学，而被经济限制了，转而投入女师大，因此幸运地得在许先生当校长时滥充一学生。他和蔡孑民先生约定，凡北大有学术讲演，女师大学生可以尽量参加，而所有教师，也多自北大延聘。因此把女师大学生的程度无形提高了，这都是由于许先生苦心孤诣的布置。然而挡不住一些拥护女人长女校的醉心之徒的播弄，在我入学校一年之后许先生辞职了。随着北大派的教员也陆续解聘。继之而来的是不孚众望的人物，提高程度马上要相反地受阻遏。在锦绣满身，以文凭为增饰声价者流自然毫不在意的。然而在千辛万苦，半工半读的自觉青年却觉得是无比的打击。因之风潮一发生，就坚不可拔。而许先生那时也自觉系铃解铃，非己莫属，不忍袖手旁观，毅然在师生共同维持的小小局面的宗帽胡同临时学校里担任职务，直至学校恢复，才始让贤而退。说到这里，我记起许先生说："鲁迅对人，多喜欢给予绰号。"确是不错。我的脾气，平常是不大奔走师长之门的。但为了学校的事情，需要预备些官样文章如写呈文之类，我们是不大内行的，有时就迫得跑到鲁迅先生府上去请教。一进门，耳边常听说"害马来了"。四顾又没有旁人，有时许先生却在坐微笑。真弄得莫明其妙。后来听的次数多起来，才猜出是在给我起的绰号。原来杨荫榆把六个学生自治会的职员开除了，理由大约说是："以免害群。"于是我们便成了害群之马。直到现在，还在社会做害马。

回忆是不轻的沈痛。幸而许先生能在沈痛中淘净出一些真材实料，为我辈后生小子所不知不见，值得珍贵，而也给热心研究这一时代一个文化工作者的一点真相。就是吉光片羽罢，也弥足珍视的了。除了许先生，我们还能找到第二个人肯如此写出吗？这不但是我私人的感幸。

许先生来信一定要嘱我写篇序。他是我的校长，是严师，我不敢也不配写序的。却又不能重违师命，为读后记。

许广平

中华民国三十六年九月九日

三联经典文库第二辑简目

《游击战教程》　明凡 / 著

《游击战术纲要》　陶剑青 / 编著

《汪精卫卖国的理论与实践》　钱俊瑞 / 著

《抗战以来》　韬奋 / 著

《陕行纪实》　楚云 / 著

《随军散记》　沙汀 / 著

《被日寇囚系半载记》　王研石 / 著

《倭营历险记》　房沧浪 / 著

《活跃的新西北》　田影 / 编著

《保卫华北的游击战》　刘清扬　陈北鸥等 / 著

《徐州突围》　《徐州突围》编委会 / 编

《沦亡的平津》　长江　小方等 / 著

《淞沪火线上》　胡兰畦等 / 著

《瞻回东战场》　长江　罗平 / 著

《东线的撤退》　胡兰畦等 / 著

《抗战中的西北》　徐盈 / 著

《鲁闽风云》　徐盈等 / 著

《西线生活》　西北战地服务团集体创作

《中国解放区见闻》 ［美］福尔曼著 / 朱进译

《全面抗战论》 潘汉年 / 著

《日本的间谍》 范士白自述 / 尊闻译

《日本大陆政策的真面目》 国难资料编辑社 / 编

《民众动员论》 李公朴 / 著

《中国外交史》 钱亦石 / 编著

《太平洋军事地理》 蒋震华 / 著

《世界经济地理讲话》 思慕 / 著

《列强军力论》 ［德］马克斯·威纳尔著 / 宾符 仲持 梅益等译

《近代国际关系史》 张铁生 / 著

《太平洋现势手册》 沈志远 石啸冲 / 编著

《近代世界政治史》 钱亦石 / 著

《从战争到和平——一九四五年的世界政治》 乔木 / 著

《战后日本问题》 思慕 / 著

《最近一年间的国际动态（1946.7—1947.6)》 《东北日报》社 / 编

《论政党》 翟放 / 著

《法与宪法》 韩幽桐 / 编著

《中华民国宪法刍议》 罗家衡 / 著

《民主·宪法·人权——作之民》 费孝通 / 著

《宪法论初步》 潘念之 / 著

《对反民主的抗争》 韬奋 / 著

《农村改进的理论与实际》 江恒源 / 著

《上海产业与上海职工》（上下）　　朱邦兴　胡林阁　徐声 / 合编

《陶行知教育论文选辑》　　陶行知著 / 方与严编

《中国通货膨胀论》　　杨培新 / 著

《中国及其未完成的革命》　　H·普拉特著 / 蒋天佐译

《中国的建设问题与人的训练》　　卢作孚 / 著

《论中国特殊性及其他》　　艾思奇 / 著

《中国经济问题讲话》　　钱俊瑞　徐雪寒　王渔邨　姜君辰　骆耕漠 / 合著

《中国经济的道路》　　许涤新 / 著

《中国财政之病态及其批判》　　孙怀仁 / 著

《官僚资本论》　　许涤新 / 著

《五四运动之史的评价》　　陈端志 / 著

《中国通史简编》（上下）　　中国历史研究会　范文澜 / 主编

《论文学的工农兵方向——读〈在延安文艺座谈会上的讲话〉》　雪苇 / 著

《中国近代史（上编　第一分册）》　　武波 / 编著

《文学百题》　　傅东华 / 编

《中国史学之进化》　　周谷城 / 著

《论民族形式问题》　　胡风 / 著

《论批评》　　荃麟等 / 著

《中国史纲》（第一卷上下、第二卷上下）　　翦伯赞 / 著

《近代中国思想学说史》（1–4）　　侯外庐 / 著

《中国政治思想史》(上下)　　吕振羽 / 著

《中国哲学史纲要》　　向林冰 / 著

《中国政治史讲话》　　钱亦石 / 著

《中国社会经济史纲》　　王渔邨 / 著

《新财政学大纲》　　千家驹 / 著

《太平天国革命运动论文集——金田起义百周年纪念》

华北大学历史研究室 / 编

《理性与自由——文化思想批评论文集》　　胡绳 / 著

《战斗者的诗人》　　黄药眠 / 著

《国语文法》　　曹朴 / 著

《教育哲学》　　张栗原 / 著

《妇女问题讲话》　　杜君慧 / 著

《婚姻 · 子女 · 继承》　　沙千里 / 著

《性教育新论》　　布士克　雅各生合著 / 董秋斯译

《狱中杂感》　　杜重远 / 著

《七人之狱》　　沙千里 / 著

《爱迪生传》　　伍况甫 / 译

《歌德自传》(上下)　　歌德著 / 思慕译

《尼赫鲁自传》　　[印度] 尼赫鲁著 / 毕来译

《列宁传》　　[苏] 凯尔任采夫著 / 企程　朔望译

《罗斯福总统传》　　C. Mackenzie 著 / 张尚之译

《托尔斯泰传》(1–3)　　[英] 阿尔麦 · 莫德著 / 徐迟译

《革命文豪高尔基》 [美]亚历山大·康恩著/韬奋编译

《鲁迅纪念特辑》 新中国文艺社/编

《回忆鲁迅先生》 萧红/著

《人民文豪鲁迅》 平心/著

《亡友鲁迅印象记》 许寿裳/著

《鲁迅思想研究》 何干之/著

《鲁迅研究》 夏征农/编

《过来的时代：鲁迅论及其他》 雪峰/著

《电影戏剧表演术》 洪深/著

《日常心理漫谈》 [美]约瑟夫·查斯特罗著/曾宝施译

《心理常识漫话》 朱智贤 杨云美/著

《读书的方法与经验》 王任叔/著

《美国黑人生活纪实》 [美]加德维尔 斯坦倍克著/董秋斯译

《初访美国》 费孝通/著

《事业与成功》 [美]马尔腾著/汪原放译

《萍踪寄语（初集）》 韬奋/著

《一生的幸福前途——〈生活周刊〉信箱选集》 生活书店/编选

《深刻的印象》 生活周刊社/编

《海外的感受》 生活书店编译所/编

ISBN 978-7-108-04460-0
9 787108 044600 >
定价：21.00元